KB172029

살해되려는 욕구

살해되려는 욕구

지은이 박준하

발 행 2024년 1월 19일
펴낸이 박준하
펴낸곳 주식회사 부크크
출판사등록 2014.07.15.(제2014-16호)
주 소 서울특별시 금천구 가산디지털1로 119 SK트윈타워 A동 305호
전 화 1670-8316
이메일 info@bookk.co.kr

ISBN 979-11-410-6457-0

www.bookk.co.kr

살해되려는 욕구

박준하
단편소설

BOOKK

차례

나의 삶은 태어남에 대한 망설임.

- 프란츠 카프카 -

무료함을 달래기 위한 잡담

죽음이 내게 갖는 의미는 육신의 소멸 뿐 만이 아니다. 죽음은 알싸하고 매운, 절로 재채기가 나오는 냄새이다. 말하자면, 불판 위에 기름진 고기와 김치, 파, 콩나물을 한데 구워 매캐한 연기 사이로 나는, 기름이 캡사이신과 만난 냄새와 비슷하다. 죽음에 가까운 사람에게는 그런 냄새가 스친다. 그건, 후각 세포가 실제로 그런 냄새를 느끼는지, 아니면 죽음과 냄새라는 시냅스가 연결되어 느끼는지는 알 수 없다.

이 집은 맵고 알싸한 죽음의 냄새로 가득하다. 의자에 앉은 남자의 목에서 뿜어져 나오는 향이다. 얼굴 전체에 청테이프가 감긴 채 목에 난 칼집 사이로 따끈한 피를 쏟던 남자는 어느새 컥컥대던 기침과 몸부림을 멈췄다. 움직일 때마다 바닥에 깔린 비닐이 신발에 채여 펄럭이며 불규칙적인 소음을 만들었다. 그 마저도 잦아들어 풍경은 차분히 가라앉았다. 혈액만이 조금씩 꾸준하게 새어나왔다. 흰 옷은 검붉게 물들었다. 두 톤(Tone)정도 진한 빨강은 장면을 좀 더 극적으로 만들었다. 한동안 그런 풍경을 감상한다. 소리를 죽이고 주변에 녹아든다. 피가 비닐에 방울방울 떨어지는 소리만 들린다. 이제 경직이 시작되기 전에 뒷처리를 끝내야한다. 두 번째 살인에서 깨달은 중요한 가르침이다. 우리 몸은 생각보다 딱딱하다.

부엌 찬장을 열어본다. 과도부터 회칼까지 종류 별로 전시되어있다. 중식도를 빼든다. 날의 무게가 여실하지만 균형이 묘하게 정교해서 손목에 무리가 덜하다. 흔해빠진 칼은 아니지만 장인이 만든 중식도라기에는 디테일이 부족하다. 휘두르기에 나쁘지 않은 정도이다. 시신의 오른 팔꿈치를 잡고 어깨를 내리친다. 묵직한 충격이 팔을 타고 전해진다. 어깨뼈가 둔탁한 소리를 내며 바닥에 닿는다. 비닐에 피가 알알이 튄다. 절삭면은 깔끔하다. 나쁘지 않은 칼이다. 이제, 회칼로 오른팔의 뼈를 바르기 시작한다.

완전 범죄는 없다. 언젠가는 피살자의 부재를 알아채고, 나를 찾아낸다. 체포된다면 무엇이라고 말할까. 수백 번의 시뮬레이션의 결과, 대답은 하나이다. “예언은 언제나 거기에 있다.” 수사관은 뻔하다는 표정으로 귀에서 악마가 속삭이느냐는 질문을 던진다. 아니라고 답한다. 예언은 예언일 뿐 행동을 지시하는 악마 같은 건 없다. 그저 일련의 과정이 자연스럽게 이루어질 뿐이다. 예언이 무엇이냐고 묻는다. 일곱 발의 총알이 있다면 누구를 쏘겠는가? 이 단순하고 파괴적인 질문은 평생에 걸쳐 따라다녔고 방금 네 번째 총알을 격발했다. 이제 실린더는 회전하고 공이는 다시 후퇴하며 의지와 상관없이 바로 다섯 번째 총알을 쏘게 될 운명이다. 예언은, 사실상 저주에 가까운 그 물음은 상징적이지도, 비유적이지도 않게 철저히 살인으로 내몰았다.

답변을 들은 수사관은 7이라는 숫자를 종이에 끼적인다. 단방향 거울을 향해 종이를 펄럭인다. 나는 허리를 곧추세우고 그 모습을 바라본다. 거울 너머로 누군가 분주히 움직인다.(적어도 그렇게 느낀다.) 큰 버저 음과 함께 문이 열린다. 조수 한 명이 종이를 받아 간다. 왜 하필 7인지 수학적, 심리학적 이유를 들며 분석한다. 종교적으로 해석한답시고 성경의 7죄종을 (교만, 식탐, 색욕, 나태, 인색, 분노, 질투) 연결 짓는다. 나는 수사관을 향해 고개를 가로젓는다. 지금까지 내가 죽인 네 명의 사람은 기독교의 죄를 대표하지 않는다. 세상이 의미 없는 우연들로 차 있듯, 7에는 큰 의미가 없다. 그저 오래 전, 친구 R과의 대화에서 아무 생각 없이 흘러나온 숫자일 뿐이다.

한 마을에 검소하기로 유명한 농부가 살았다. 농부는 땅 욕심만큼은 있어서 면적을 조금씩 넓혔다. 어느 날, '농부의 삶은 땅만 충분하면 악마도 두렵지 않다'라고 말했다. 악마는 이 말을 듣고 농부가 사려는 땅의 유목민이 되어 유혹을 걸었다. 해가 지기 전까지 원하는 만큼의 땅에 경계를 그어오면 그 내부 면적을 헐값에 넘기겠다는 조건이었다. 농부는 해가 뜨자마자 걷기 시작했다. 그러나 욕심을 부린 나머지 멀리 가서 돌아오지 못하고 몸을 혹사해 사망했다. 악마는 '농부는 자신이 누울 만큼의 땅만이 필요했다.'라며 비꼬았다. 이 단편은 "사람에게는 얼마만큼의 땅이 필요한가?" 라는 질문에 대한 레프 톨스토이의 답변이다.

R은 이야기를 듣고 한 동안 말이 없었다. 바닥의 한 점을 응시하

며 이야기를 곰곰이 곱씹었다. 앙 다문 입술은 조금씩 움직였지만 소리는 새어나오지 않았다. 들리지 않는 울림이 비로소 입을 통해 터져 나왔을 때, 나도 모르게 R의 눈을 피했다.

"사람이 살아가면서 몇 발의 총알이 필요할까?" 흥미로운 질문이다. 쉽게 답할 수 없는, 오묘한 거부감이 든다. 한참을 고민한 나는 스스로를 죽일 단 한 발이면 충분하다고 답했다. R은 많을수록 좋다고 했다. 두 번째 질문은 내 입에서 흘러나왔다. 자연스럽게, 아무런 거리낌 없이. "일곱 발의 총알이 있다면 누구를 쏘겠는가?" 총은 미합중국 해군에서 사용하는 스미스 앤 웨슨 M686+ 리볼버로 탄약은 357 매그넘 탄으로 정했다. R은 왜 일곱 발인지 의문을 품지도 탄약수를 늘리지도 줄이지도 않았다. 일곱 발이 적당하다고 생각했다. 당시에는 크게 시답잖은 질문이었다. 이 질문이 예언적인 의미가 생긴 데에는 R의 죽음이 있었다.

R은 누구나 끌릴만한 신비롭고 비밀스러운 매력을 가졌다. 우아하고도 수려한 외모와 여유로운 제스처, 비싸지 않은 옷을 입어도 태가 나는 몸가짐은 모두의 호감을 사기에 충분했다. R은 빛의 각도에 따라서 남성으로 보이기도, 여성으로 보이기도 했다. 그런 특징을 R은 크게 신경 쓰지 않았고 딱히 묻는 사람도 없었다. 처음 R을 보았을 때의 인상이 각자의 마음속에서 성별을 정의했다. 처음 R을 남자라고 생각했다면 남자로 보였다. 그런 R과 다니는 건 나름대로 특별한 일이었다. 단순하지 않은 질문들을 주고받으며 친구같이, 때로는 애인같이 다녔다. 그러나 내가 R과 함께 다닌 이유는 단순히 외관적 매력 때문이 아니었다. R을 만날 때면, 목에 작은

생선 가시가 걸린 듯한 이물감이 느껴졌다. 곧 알게 된 그 이물감은 R에게서 풍기는 매운 냄새였다. 어쩌면 처음 만난 순간부터 R이 자살하리라고 가늠하고 있었을지도 모른다. 그래서 R의 죽음에 관한 소식을 들었을 때 크게 놀라지 않았다.

R은 자살하기 전날 우리 집 우체통 안에 편지를 하나 넣었다. 밀봉조차 되어있지 않은 편지는 사실상 흰 봉투에 찢어진 종이를 담은 무언가에 불과했다. 아무렇게나 대충 찢은 종이에는 단 일곱 글자만 적혔다. 체호프의 리볼버. 손으로 눌러 쓴 글귀에 슬픈 기색은 전혀 없었다. 안톤 체호프는 소설에 총이 나오면 반드시 격발되어야 한다고 말했다. 필요하지 않은 소도구는 없으며 등장한 모든 도구는 활용되어야한다. 이런 작법을 "체호프의 총"이라 부른다. 체호프는 총의 종류를 언급하지 않았다. 모신나강인지 리볼버인지 장총인지 단총인지 말이다. 편지 속 리볼버는 분명 스미스 앤 웨슨 M686+를 의미함이 분명했고 편지의 의미는 명백했다. 이야기에 리볼버가 등장했으니 반드시 격발하라.

그때부터 불이 꺼진 방 안에서 몇 시간이고 사색에 잠긴다. 적갈색의 가죽 의자 팔걸이에 팔을 올리고 벽의 한 점을 응시한다. 온 정신을 집중하여 권총 한 자루를 떠올린다. 상상 속의 권총 자루가 내 손에 감긴다. 이 총구는 누구를 향할 것인가. 문득 "죽음은 맵고 알싸한 냄새"라는 개념을 형성한 여덟 살의 지하철 플랫폼이 떠오른다.

당시는 지하철역에 스크린 도어가 도입되기 시작할 무렵이었다. 플랫폼은 어두웠고 철로로 고개를 내밀어 터널 쪽을 바라보면 삼킬 듯한 어둠이었다. 철로와 플랫폼을 구분 짓는 건 철제 난간뿐이었는데 그 마저도 문이 열리는 공간은 비어있었다. 지하철이 진입할 때마다 맹렬한 바람이 불었고 당장이라도 철로로 떨어질 느낌이었다. 지하철은 시큼한 냄새를 가졌다. 식초와 수영장 소독제 사이의 기분 나쁘게 톡 쏘는 냄새였다. 어머니와 함께 집으로 돌아가던 심야 시간대였다. 배차 간격으로 10분은 족히 기다려야할 분위기에 앉아서 쉴 벤치를 찾았다. 벤치 옆에는 간이매점이 있었는데 할머니 한 분이 비좁은 내부에서 신문을 읽고 있었다. 안경을 코에 간신히 걸치고는 우리가 지나가자 눈을 치켜들어 바라보았다. 벤치에 앉아 이런 저런 것들을 구경했다. 매점의 오래된 과자 상자는 먼지가 쌓이고 빛이 바랬다. 저걸 사 먹는 사람이 있을까. 벤치 뒤, 등을 기대는 타일은 더러웠고 줄눈 사이사이에는 곰팡이가 피었다. 바닥에는 껌과 음료수 자국이 남았다. 맞은 편 플랫폼의 내 또래의 아이를 바라보았다. 아이는 멀리 떨어져 있음에도 인상이 선명해 나도 모르게 시선을 빼앗겼다. 어머니는 슬라이드 폰을 열어 문자를 확인했다. 그때 계단에서 남자 한 명이 내려왔다. 회색 정장에 크로스백을 매고 푸른 줄무늬의 넥타이는 반쯤 풀려있었다. 플랫폼에서는 고개를 숙이고 앞을 보는 둥 마는 둥 하며 걸어왔다. 노래를 부르기도 하고 소리를 지르기도 했다. 사람들은 힐끔 눈치를 줄 뿐 그 이상의 관심을 가지지 않았다. 그저 자신에게 피해를 끼치지 않기만을 바랄 뿐이었다. 취객은 천천히 비틀거리는 걸음으로 우리 앞까지 걸어왔다. 벌건 얼굴은 잔뜩 구겨졌고 허공을 향해 손짓해댔다. 곧 열차가 들어온다는 방송이 흘렀다. 왼쪽 터널에서 거친 철로 소리가 들렸다. 플랫폼의 사람들은 하나 둘 씩 자리에서 일어났다. 지하철이 역사에 진입할 때 취객은 지하철을 바라보았고, 그 앞을 지날 때 철로에 몸을 던졌다. 순식간에 벌어진 일이었다.

피가 튀었고 가방이 나뒹굴었다. 지하철은 갑작스럽게 멈췄다. 지금 돌이켜보면 시각적인 충격은 크지 않았지만 냄새만은 또렷이 기억한다. 위액과 술, 음식이 한데 뒤섞인 냄새. 미처 소화되지 못한 채 위액에 녹아내리던 음식과 시큼한 지하철 냄새가 섞였다. 기름지고 매우면서 시큼한 냄새였다.

그때 중요한 깨달음을 얻는다. 생자와 망자, 삶과 죽음은 양극단에 있지 않다. 삶이라는 공간에서 죽음으로 나갈 수 있는 One-way Door가 달린 게 아니다. 삶과 죽음은 같은 공간에 있다. 마치 대류하는 공기처럼 삶이 자리를 비우면 죽음이 그 공간을 채우고 죽음의 빈자리는 삶이 메운다. 지금이야 말로 표현할 수 있지만 여덟 살의 어휘력으로는 달리 표현할 길이 없었다. 머릿속에 잔뜩 낀 안개 속 죽음의 실루엣이 삶의 실루엣과 다르지 않았다. 자연스레 죽음을 유예하는 삶을 살았다. 가령 여행이 예정되었다고 하면 "여행만 끝나고 죽었으면 좋겠다."라고 생각했다. 여행이 끝나면 또 다른 기대되는 일을 만들었고 다시 죽음을 유예했다. 기대되는 일이 생기면 아무 신에게나 기도했다. "절 거두시려거든 이 일까지만 마무리하게 해주시옵소서." 죽음이 두려운 건 아니었다. 그저 하던 일을 마치고 싶다는 생각뿐이었다.

내게 삶과 죽음은 동일하기에 전쟁과 학살은 싫다. 비인도적이고 비윤리적이기도 하지만, 무엇보다 간편하다. 아우슈비츠를 비롯한 나치의 절멸 수용소의 가스실, 마오쩌둥과 스탈린의 학살, 옴진리교의 일본 지하철 사린가스 살포는 생명과 죽음에 대한 존중이 없다. 최대한 많은 사람을 죽이기 위한 무기 개발은 매력적이지 않다. 개개인에게는 서로 다른 삶이 있다. 그렇다면 서로 다른 죽음이 있어야하고 존중받아야한다. 그 존중은 힘의 균형에서 온다. 리볼버는 균형의 좋은 예시이다. 탄창을 사용하여 한 번에 스무 발을 쏘는 자동 소총은 간편하다. 그러나 탄피를 제거하고 일일히 재장전해야하는 리볼버는 재장전 중 죽을 수도 있다. 평등하지 않은가. 내가 남을 죽일 확률만큼 자신이 죽을 확률도 올라간다.

같은 맥락으로 사냥은 숭고하다. 먹이를 잡기 위해 수 킬로미터를 걷고 교묘한 덫을 설치한다. 그 덫에 잡힐지, 누가 먼저 지칠지, 놓치면 얼마나 배를 곯아야 할지 모른다. 그럼에도 치타는 최선을 다해 폭발적인 속력으로 뛰어 사냥한다. 사람들은 치타의 빠른 속력에 감탄하지만 치타의 예술성은 다른 곳에 있다. 치타는 심장이 터질 위험을 항상 감수한다. 나는 살인에 사냥과 리볼버의 철학을 담으려고 노력했다. 그게 "체호프의 리볼버"가 가진 의미라고 생각했다.

한 쪽의 검은 비닐에 팔과 다리뼈를 한데 모은다. 수족이라는 형체를 잃은 고깃덩어리는 바닥에 쌓아둔다. 땀이 비 오듯 쏟아진다. 더운 날씨는 아니지만 창문을 열 수 없다. 혹여나 냄새가 빠져나가면 큰일이다. 죽는 순간 부패는 시작된다. 인내가 필요하지만 최대한 간편하게 처리하려면 이 방법이 최선이다. 이마의 땀을 닦는다.

영화나 소설은 살인을 낭만적으로 묘사한다. 시신에서 혐오감이 이는 부위는 얼굴이다. 죽기 직전의 얼굴은 생동감이 넘친다. 세 번째 살인에서 얼굴을 가리지 않고 작업했다가 밤새 악몽에 시달렸다. 눈을 감으면 그 생기가 잔상으로 남는다. 또, 몸통은 처리하기가 보통 일이 아니다. 장기 대부분이 몸통에 있기 때문에 소화 덜된 음식물이며 대변이 문제이다.

현실과 영화의 분명한 차이는 살인이 즐겁거나 중독적이지 않다는 것이다. 살인이 즐겁다는 인식은 미디어나 책 속 사이코패스의 이야기이다. 현실은 끊임없는 투쟁이다. 혹자는 살인이 육체 행위라고 생각할지도 모르겠다. 살인의 8할은 수 싸움이다. 즉각적인 타격을 가하는 권투보다 몇 수 앞을 내다보는 체스에 가깝다. 살인을 계획 중인 자가 있다면 그 어떤 가능성도 배제하지 마라. 작은 변수가 결과에 큰 영향을 미친다. 수 없이 생각하고 사고 실험을 돌려라. 필요하다면 살인 장소를 찾아가도 좋다. 그러나 잦은 방문이나 부자연스러운 행동은 꼬리가 밟힌다. 계획과 반복, 시뮬레이션과 복기가 지금까지 잡히지 않은 키(Key)이다.

살인에서 중요한 요소는 세 가지이다. 먼저, 사사로운 감정에 휘둘리면 안 된다. 사사로운 감정은 일을 그르치는 지름길이다. 완벽한 계획을 세웠더라도 막상 현장에서는 불안과 쾌감이 뒤섞인다. 심장이 빨리 뛰고 손, 발끝이 차가워지며 횡경막이 들려 숨이 안 쉬어진다. 이때 감정을 통제해야한다. 감정에 지배된 살인은 흔적을 남긴다. 불안이 외치는 소리에 최소한의 주의를 기울이되 과하면 안 된다. 두 번째는 뒤처리이다. 내게 살인을 하는데 일주일이 주어진다면 뒤처리를 고민하는데 엿새를 쓰겠다. 살인은 뒤처리가 힘들다. 완벽한 뒤처리는 없다. 흔적을 최소화할 뿐이다. 그렇다고 흔적을 남기지 않기 위한 강박은 더 큰 흔적을 남긴다. 괜스레 과하게 지운 지문은 의심을 부른다. 최대한 자연스럽게 행동하고 현장에 수정을 가하지 말라. 이를 테면 시신을 옮기다가 테이블을 쳐서 틀어졌다면 굳이 원래 상태로 돌려놓지 않았다는 의미이다. 수정하기 위해 테이블을 잡으면 잡은 흔적이 남기 때문이다. 세 번째는 운이다. 운은 일을 하는데 있어 큰 요소이다. 알맞은 시간에 알맞게 운이 작용하도록 최대한 피살자를 유도한다. 환경을 교묘하게 통제하여 유도된 선택을 하게 만든다. 쓰레기를 줍거나 다른 사람을 돕는 행위도 이어나간다. 믿거나 말거나 선행은 운의 확률을 높인다. 수많은 영화와 책들은 좋은 교보재이다. 독극물이나 덫 등 전통적인 방법부터 교묘한 방식까지 이용했지만, 효과가 좋은 것은 역시 전통적인 방법이다. 다만, 자살로 꾸미는 경우에는 흔적이 많이 남아서 배제했다.

일곱 발의 총알을 쏘아야한다고 해서 아무에게나 쏘지 않았다. 살인들은 우발적이지 않았다. 최소한 네 번째 살인까지는 말이다. 철저히 두 가지 신념에 맞춰 움직였다. 첫째, 사냥감은 잉여 인간이다. 잉여인간이란, 사회에 도움이 되지 않는 권력자들을 뜻한다. 이기적이고 타인에게 피해를 주는 사람들도 통칭한다. 둘째, 일곱 발의 총알을 쏘고 나면 더 이상의 살인은 없다. 예언에 따라, 좀 더 나은 세상을 위해 딱 일곱 명만 죽이겠다.

지금 내가 살을 바르는 인물은 아스모데우스라는 이름을 붙인 군인이다. 190센티미터가 넘는 큰 덩치와 욕심으로 가득 찬 얼굴, 이상하리만큼 기분 나쁜 미소를 지었다. 말을 하는 와중에도 정신은 다른 곳에 가 있고 욕설과 폭력은 몸에 배었다. 같은 말을 몇 번이고 반복하기도 했다. 얼굴은 항상 웃고 있었는데, 그 미소가 만드는 주름은 과도하게 파여 굳었다. "악마에게 영혼을 빼앗긴 미소"가 정확한 표현이다. 악마와 영혼을 거래하고 머릿속 쾌락의 방에 갇혔다. 쾌락의 방에서는 항상 일정량 이상의 도파민이 분비되었다. 도파민은 얼굴 근육을 자극해서 황홀경에 있는 표정인데, 마주하는 상대는 불쾌하기 짝이 없었다. 덕지덕지 붙은 청테이프 너머로 다시는 마주할 리 없는 얼굴이 잔상으로 남는다. 다시금 기억의 바다 속으로 빨려 들어간다.

아스모데우스가 어깨를 잡고 복부에 주먹을 날린다. 거대한 몸집과 강한 힘 앞에 약자는 즉각 항복한다. 그 모습을 먼발치에서 바라본다. 아스모데우스에게 다가갈수록 몸은 분노로 들끓는다. 그날 나는 아스모데우스를 죽이려했다. 뇌는 강력하고 매력적이며 동시에 파괴적인 영상을 제시한다. 영상을 눈앞의 상황에 덧씌운다. 마치 파쇄기나 미싱기를 볼 때 손이 빨려 들어가는 상상과 비슷하다. 분노는 즉각적인 처형을 제안한다. 주머니 속 가위를 아스모데우스의 목에 꽂아 넣는다. 가위 날은 식도와 기도를 뚫고 목뼈로 나아간다. 아스모데우스는 붉은 피를 쏟는다. 컥컥 거리며 뒷걸음질 친다. 내 얼굴과 손에 따뜻한 피가 묻는다. 혹은 군번줄로 목을 조른다. 등에 올라타서 가위를 눈에 찔러 넣는다. 날은 안구와 홍채를 뚫고 수정체로 밀려들어간다. 점액질의 투명한 수정체는 피와 섞이지 않고 쏟아진다. 얼굴을 타고 흘러 바닥에 떨어진다. 흠칫 눈앞의 영상을 떨친다. 우발적이다. 우발적인 살인은 신사답지 못하다. 아직은 때가 아니다. 분노는 피가 고픈 괴물이다. 안 된다. 감정적인 살인은 금물이다.

아스모데우스의 주소는 손에 있었다. 누가 시켜서도, 의뢰를 받아서도 아니고 스스로 원해서였다. 허술한 행정 처리는 이럴 때 유용하다. 타인에게 피해를 입히고도 미안함을 못 느낀다면, 차라리 죽는 게 낫다. 그러나 막상 주소를 받아 들고서 갈등한다. 죽일지 말지가 아니다. 이미 세 명을 죽였기 때문에 돌아갈 길은 없다. 일곱 발의 총알의 가치가 있는가. 그런 가치조차도 없는 사람이다. 최소한의 흥미조차도 느낄 수 없다. 그런 사람을 향한 총알은 징벌이 아니라 세례에 가깝다. 하지만 왜 장전했는가. 왜 안전장치를 빼고 방아쇠를 당길 준비를 하는가. 분노 때문일까. 사사로운 감정에 흔들린다면 여타 다른 살인자와 다를 게 없다. 나는 분명 그들과는 달라야한다. 이런 고민을 아는지 모르는지 버스는 경기도의 한 아파트 단지 앞에 멈춘다. 한동안 정류장 의자에 앉아 머리를 박고 고민한다. 버스 기사들은 시선을 던지고는 큰 배기음을 남기고 떠난다. 삐 소리와 함께 문이 열리고 사람들은 카드를 찍으며 올라탄다. 수십 대의 버스를 보내고 비로소 마음을 굳힌다. 죽여야 한다. 아스모데우스는 반드시 내 손에 죽어야 한다.

아스모데우스의 집 주변은 그리 번화하지 않은 구도심이다. 특징이라면, 도시의 중심을 장악한 거대한 나이트클럽이 있다. 이 건물은 밤이 되면 화려한 조명을 켜고 사람들을 끌어 모은다. 빨간색 관광버스가 나이트 앞에 멈추고, 30~40명 남짓의 중년들이 우르르 몰려 들어간다. 아침이 되면 밤의 화려함은 태양빛에 씻겨 증발한다. 조명이 꺼진 나이트클럽은 황폐하다. 잔뜩 타고 남은 땔감의 재처럼 회색빛 건물은 전날 밤 그토록 생기를 띠었다고 가늠할 수 없다. 출퇴근 시간 마다 사람들이 몰려 나와 똑같은 표정으로 버스에 오르고, 더 탈 수 없어 창문이 터져 나갈 지경이 되고서야 출발한다. 오전 여덟 시 반이라는 경계를 기준으로 사람들이 생기고 사라진다. 자정이 넘으면 귀신들이 찾는 유명한 사우나를 담은 일본의 애니메이션처럼 초현실적인 광경에 한동안 이질감을 느낀다. 숙소는 거대 나이트클럽 뒤편의 모텔이다. 방음이 잘 되지 않아 옆방에서 텔레비전 프로그램과 코고는 소리, 간간히 여자의 신음소리가 들린다. 처음에는 개 짖는 소리인 줄 알았는데 반복해서 들으니 신음소리라는 걸 깨닫는다. 남의 신음소리를 듣는 건, 그것도 벽 너머로 듣는 건 그리 유쾌한 경험이 아니다. 중대한 범죄를 저지르는 기분이다.

주변 부동산을 찾아 아스모데우스 집의 이것저것을 묻는다. 크게 중요하지 않은 작업이지만 기본적인 구조를 알아서 나쁠 건 없다. 모텔에 숨어 한동안 도시의 루틴을 확인한다. 도시는 오전 다섯 시 즈음에 서서히 기지개를 켠다. 오전 여섯 시가 넘어서 분주히 움직이고 버스도 통행량이 늘어난다. 오전 여덟 시 반이 되면, 사람들은 전부 도시를 벗어나 자신의 일터로 향한다. 주로 허리가 굽은 노인들이 길을 거니고, 간간히 보이는 30~40대 학부모들은 자녀의 학업을 은근히 자랑하며 분위기 좋은 카페에서 모임을 갖는다. 오후 세 시에는 하교하는 아이들의 소리가 들리고, 오후 여섯 시가 되면 직장인들이 몰려나온다. 도시는 하나의 거대한 유기체처럼 움직이며 사람들을 쏟아내고 돌려받는다. 챙겨 온 노트에 패턴을 기록한다. 다른 지역에서의 살인은 그 지역에 녹아드는 게 중요하다. 도시의 패턴에 맞춰서 행동해야 눈에 띠지 않기 때문이다.

아스모데우스의 아파트 단지에 본격적으로 발을 들이기 시작한 건 네 번째 날 부터이다. 그 동안 살인 방법을 모색하기 위해 주변 아파트에 대한 정보를 몇 개 얻었다. 쓰레기 처리는 '한신 용역'이, 소독 업체는 '미화 소독'이 독점했다. 살인 방법이 하나 정해진 셈이다. 집을 보러 온 세입자인 척 아파트 경비에게 다가간다. 편의점에서 사온 캔 커피 한 잔을 내민다. 무심하던 경비는 고맙다는 말과 함께 약간의 주의를 기울인다. 커피 한 잔은 마음의 문을 열기에 완벽한 음료이다. 경비는 빗자루를 벤치 한쪽에 걸쳐두더니 목장갑을 빼며 말한다. 목장갑에는 낙엽이 잔뜩 묻었다.

"요즘 젊은 사람들은 집을 보지도 않고 핸드폰으로 계약한다던데. 젊은 사람이 직접 발품을 파는 건 나 젊었을 때 말고는 오랜만인데." 경비는 흙이 묻는 손을 아랑곳하지 않고 캔 커피 위를 훑는다. 땀 냄새와 담배 냄새, 흙냄새가 뒤섞여 풍긴다.

"이 아파트가 지은 지 꽤 오래되어서 외관이 조금 낡아보여도 리모델링을 다 해서 나쁘지 않아요. 아이들도 많아서 뛰어노는 소리도 들리고. 물론 시끄럽다고 민원을 넣긴 하더라고. 안 그래도 요즘 듣기 힘든데. 애들을 안 낳아서."

문득 놀이터의 아이들 소리를 듣는다. 부동산에서 얻을 수 없는 정보를 구하고자 찾아왔다고 말한다. 몸이 안 좋아서 환경이 좀 중요한데 소독은 얼마 주기로 하나요.

"소독은 매달 첫째 주 수요일에 가정 소독하고 둘째 주 수요일에 수목 소독을 하죠. 하절기에는 추가적으로 하고요. 작년에 한동안 벌레 잡아달라고 민원 많이 들어왔어요. 여기 풀이 많아서 벌레가 좀 있긴 해요. 뒤에는 또 산이라서."

그런 걸로 민원을 넣느냐고 묻는다. 경비는 말도 말라면서 남은 커피를 입에 모두 털어 넣는다. 멋쩍은지 캔을 휘적거리며 잘 마셨다고 말한다.

모텔로 돌아와 메모를 정리한다. TV는 켜지 않는다. 남자의 중저음이 벽 너머로 울린다. 벽 전체가 울려서 위인지 옆인지는 모르겠다. 그러다 쿵하고 떨어지는 소리가 들린다. 중식도로 잘려나간 오른쪽 어깨뼈가 바닥을 치듯 둔탁한 소리이다. 낮에 구한 소독 용품을 다시 점검한다. 소독 업체와는 다르지만, 그 정도 차이는 알아차리지 못한다. 손목시계를 확인한다. 차가운 메탈 시계는 오후 열 시 삼십 분을 가리킨다. 차가운 시계는 마음을 안정시키는데 도움을 준다. 내일은 맑은 정신이어야 한다. 조금이라도 집중력이 흐트러지는 순간, 내가 죽는다. 최대한 빠르고 간결하게, 담백하게 끝내야 한다. 눈을 감고 누우니 주변의 소리는 증폭되어 귀에 도달한다. 옆

방의 텔레비전 소리는 크고 이따금씩 여자의 신음소리도 들려온다. 뒤이어 수많은 잡념들이 머릿속을 떠다닌다. 문득 R의 목소리가 들린다. R이 특히나 보고 싶은 날이다.

“아이히만이랑 아이히만 사형 집행인이랑 다른 게 뭐야?” 너는 나에게 물었다.

슈츠슈타펠(SS 돌격대; 나치 친위대) 중령. 상급 돌격대지도자이자 홀로코스트 실무 총책임자 아돌프 아이히만. 그는 친위대 국가지도자 히인리히 힘러와 국가보안본부장 라인하르트 하이드리히와 함께 6백만 명의 유대인 학살 계획의 책임자였다. 제 2차 세계대전이 끝난 후 아이히만은 아르헨티나로 도주했다가 전범 재판을 위해 예루살렘으로 압송된다. 아이히만은 재판에서 다음과 같이 증언한다.

“나는 권한이 거의 없는 배달부에 불과했다. 나는 아무 것도 한 것이 없다. 크건 작건 아돌프 히틀러나 그 외 어떤 상급자의 지시에 아무것도 덧붙이지 않고 성실히 임무를 수행했을 뿐.” 아이히만은 홀로코스트가 자신의 조국인 나치 독일에서는 합법이었으며, 애국이었음을 주장한다. 물론 그는 틀렸다. 명령이 잘못되고 불법적인 경우에는 명령을 마지못해 따르는 것도 불법적인 행위이다. 아이히만은 사유하지 않았다.

그렇다면 아이히만의 사형 집행인이 아이히만과 다른 건 무엇인가. 사형 집행인은 예루살렘에서 정한 법과 재판장이 지시한 내용을 따랐다. ‘적법’이라는 건, 아이히만의 말마따나 어디까지나 상대적인 게 아닌가. 너는 내 눈을 지그시 바라보며 묻는다.

아니, 그 둘은 분명히 다르다. 한 쪽은 무고한 자들을 죽이는 반인륜적인 살인을 저질렀고 다른 한 쪽은 국가를 대신하여 살인자를 사형으로 처벌했다. 차이는 도덕적 양심이다. 우리 모두는 도덕과 양심에 맞춰서 행동해야 한다. 나는 불안정하게 답한다. 나에겐 확신이 없다. 아스모데우스가 아이히만이고 내가 사형 집행인인가. 아니면 아스모데우스가 사형 집행인이고 내가 아이히만인가. 왜 나와 아스모데우스가 겹쳐 보이는가. 흔들린다. 혼탁한 내 마음 속에 네가 떠오른다. 너는 부드러운 손짓으로 어두운 마음속에 길을 낸다. 너는 입을 벌리지 않고 온화한 목소리로 말한다. "너는 일곱 발의 총알을 쏘아야 한다." 그 말은 확신만을 남긴다.

바로 내일, 아스모데우스는 내 손에 죽는다. 얼굴에 청테이프가 칭칭 감긴 채로 난도질당해 소멸한다. 머릿속에 일련의 과정을 그려본다. 아스모데우스 집의 초인종을 누른다. 문 너머의 반응이 없다면 엘리베이터를 타고 내려간다. 그저 다른 방법을 모색하면 된다. 두 번째 벨을 누르고 "소독이요."라고 외친다. 문 너머로 발소리가 들리고 도어락 잠금 해제 소리와 함께 문이 열린다. 아스모데우스의 크게 달라지지 않은 산발의 머리, 영혼이 빼앗긴 눈알은 여전하다. 집 안으로 들어선다. 거실 천장에 쥐 통로가 있는지 확인해야 한다는 명분으로 바닥에 비닐을 깔고 의자를 배치한다. 아스모데우스는 그저 멍하니 바라본다. 상황 파악하는 중이지만 전문가의(아스모데우스는 나를 최소한 소독 전문가라고 믿는다.) 행동에 이의를 제기하지 않는다. 거실에 설치를 마치고 화장실로 향한다. 최근에 벌레를 본 곳이 어디죠? 어떤 벌레였나요? 아스모데우스는 나를 화장실과 베란다로 이끈다. 농업용 분무기에 담긴 청산가리를 장전하고 얼굴에 뿌린다. 아스모데우스는 소리를 지른다. 하지만 이웃은 큰 관심이 없다. 도시는 이웃에게 지독히도 무심하다. 아스모데우스는 바닥에 쓰러져 뒹군다. 고기 타는 냄새가 스친다.

살인은 머릿속에 떠올린 순서대로 진행되었다. 다른 점이라면 아스모데우스가 크게 소리를 지르지 않았고 생각보다 감정의 개입이 컸다. 떨림과 불안, 분노가 몸을 지배했다. 살인은 마치 차가운 물 샤워처럼 적응되지 않는다. 힘들고 신경이 곤두선다는 사실을 알지만 멈출 수 없다. 그 예언은 항상 거기에 있기 때문이다. 현관에서 신발을 벗는다. 움직일 때마다 비닐 방역복이 스치며 큰 소리를 낸다. 방침이 바뀌어서 매년 한 번씩 크게 방역 작업을 해야 합니다. 듣지도 않을 변명을 하며 바닥에 비닐을 깐다. 최근에 천장에 쥐가 돌아다닌다는 소식을 들어서 전등 위쪽도 소독을 하라는 지침이에요.

아스모데우스는 잠자코 비닐 까는 모습을 지켜본다. 의식하지 않으려 하지만, 심장 뛰는 소리가 귀에서 들린다. 불안은 불필요한 행동의 촉매이다. 방금은 불필요한 발언이었다. 말을 마치는 순간, 후회가 밀려온다. 복잡한 생각들이 머릿속을 떠다녀서 무엇이 무엇인지 모르겠다. 내가 느끼는 불안이 분노인지, 살인에 대한 흥분인지, 아스모데우스가 죽는다는 사실에 대한 설렘인지 모르겠다. 마음을 가다듬고 묻는다. 목소리가 살짝 잠겼고, 미세하게 떨린다.

"최근에 벌레가 나온 곳이 어디죠?" 고개를 들어 아스모데우스를 바라본다.

약 3초 정도 후에 귀로 소리가 인식되었다는 듯이 왼팔을 펴며 화장실로 안내한다. 형체를 잃기 전의 왼팔이다. 화장실로 아스모데우스를 몰아넣는다. 농업용 분무기를 몇 번 눌러 청산가리를 장전한다. 아스모데우스가 뒤를 도는 순간 얼굴에 청산가리를 뿌린다. 눈에 청산가리가 직격한다. 정신을 차릴 새도 없이 입을 벌리고 입 안에 청산가리를 쏟아 넣는다. 타는 냄새가 난다. 연기가 피어오르고 까맣게 그을린 자국이 보인다. 머리를 강하게 내리쳐 기절시킨다. 바닥에 뒹구는 아스모데우스를 끌어 의자에 앉힌다. 부엌에서 과도를 꺼내 목의 절반가량을 벤다. 칼을 든 손이 심하게 떨린다. 농업용 분무기를 벗고 청테이프를 꺼낸다. 청테이프로 코만 남기고 얼굴을 감싼다.

대장과 소장은 당신이 생각하는 것보다 굉장히 길다. 어지럽게 얽혀있는 소장이 쏟아지기 시작하면 다시 주워 담을 방도가 없다. 배를 가르고 천천히 소장을 빼낸다. 내장을 밀폐 통 안에 쏟아 넣는다. 밀폐 통의 공기구멍을 들어 진공 상태로 만든다. 소독용 통 안에 발라낸 살을 집어넣어 녹인다. 뼈가 담긴 검은색 비닐을 가방 안에 넣는다. 짐을 챙겨 자연스럽게 아스모데우스의 집을 빠져나온다. 자세한 위치는 말해줄 수 없지만, 공사장은 무언가를 숨기기에 최적의 장소이다.

"범죄자는 범행 장소에 반드시 돌아온다." 범죄심리학 교과서에 쓰여 있을 정도로 유명한 아마추어 범죄자의 첫 번째 규칙이다. 그 규칙에서만 벗어나도 걸릴 확률은 기하급수적으로 줄어든다. 모텔 방을 가볍게 정리하고 짐을 챙겨 체크아웃한다. 타고 왔던 시외버스에 올라 다시 거대한 나이트클럽을 지나 돌아간다. 버스는 왔던 길을 되돌아간다.

살인을 복기하는 이 시점에서 큰 감정적인 동요는 없다. 마치 한 단어를 반복적으로 말하면 단어의 의미가 상실되는 게슈탈트 붕괴 현상처럼 아스모데우스 살인은 아무런 감정을 전이하지 못했다. 아스모데우스를 처리하고서는 극도의 피로가 몰려왔고, 집으로 돌아가 오랜 시간 깊은 잠에 빠졌다. 잠에서 깨었을 때, 살인을 저지른 게 꿈이라고 느꼈다. 하지만, 분명히 아스모데우스는 죽었다. 미처 처리하지 못한 청테이프와 방역복, 농업용 분무기가 남았고, 몸에 맵고 알싸한, 죽음의 냄새가 배었기 때문이다.

유디트의 목을 베는 홀로페르네스

훗날 이스라엘 국왕 자리에 오르는 양치기 소년은 자신의 운명을 알까. 소년은 투석구로 거인의 머리를 맞춘다. 맹렬하던 거인은 한 번에 무너진다. 소년은 서서히 다가간다. 칼을 빼들고 목을 벤다. 오른손에는 날이 선 검을, 왼손으로는 머리를 집어 든다. 더러운 물건을 집듯 엄지와 검지에 힘을 준다. 소년의 이름은 다윗. 골리앗을 잡은 직후를 그렸다. 다윗의 얼굴은 묘하게 R을 닮았다. 앙 다문 입술과 찡그린 표정에는 혐오와 쾌감이 공존한다. 골리앗의 얼굴에는 당황스러움이 묻어난다. 급습을 당한 예상치 못한 얼굴. 그 얼굴은 카라바조 자신의 얼굴이다. 얼굴 위에 유리에 비친 내 모습이 겹친다. 눈높이에 걸린, 베젤이 두꺼운 싸구려 플라스틱 액자 속 그림보다 카라바조의 <홀로페르네스의 목을 베는 유디트>를 더 좋아한다. 아시리아 왕국의 장수 홀로페르네스는 유디트의 미에 방심해 목을 베인다. 유디트의 찌푸린 미간과 앙 다문 입술 너머로 분노와 쾌감, 혐오가 동시에 느껴진다. 위에서부터 뭉근한 역겨움과 쾌감이 한데 버무려져 밀려 올라온다. 젠틸렌스키가 묘사한 유디트와는 달리 카라바조의 유디트는 처연하고 정제되었다. 어금니가 으스러질 정도로 꽉 깨문다. 잘려나가는 홀로페르네스의 목. 따뜻한 홀로페르네스의 피를 느낀다. 식도와 기도가 잘려나간다. 차가운 칼에 닿는 도자와 같은 느낌. 유디트의 칼은 목뼈에서 멈췄으리라. 그쯤에서 굳게 깨문 어금니를 푼다. 압력이 달라지며 날카로운 소리도 사라진다.

카라바조의 그림이 장례식장에 걸린 게 의아했다. 그림에는 적절한 장소가 있기 마련이다. 카라바조의 자기 파괴적인 면을 담은 <골리앗의 머리를 든 다윗>은 장례식장에 어울리지 않는다. 죽음의 공간에 죽음의 순간을 담은 그림으로 웃고 지나가라는 블랙 코미디일까. 이렇게 생각하니 미술관에 걸렸을 때보다 의미가 더 살아났다.

네이비 블루 정장에 처치스 구두를 신었다. 네이비 블루는 색이 깊어서 주변에 검은색이 없으면 구분하기 어렵다. 잠겨 있는 두 개의 단추 중 아래 단추를 풀었다. 거울 앞에 서서 흐트러진 매무새를 다듬었다. 자켓을 아래로 털자 머스크향이 옷을 타고 코끝을 스쳤다. 자켓 밑단에 물기가 남았지만 대수롭지 않게 손등으로 밀어 내렸다.

지하에 만들어진 장례식장은 조명이 과하게 밝았다. 어둠이 깊은 한 밤중이었지만 장례식장은 시간의 흐름을 느낄 수 없었다. 노란색과 흰색의 빛은 식장에 깃든 어둠을 전부 몰아낼 기세였다. 어딘가 어울리지 않는 거대한 파초와 몬스테라도 이질적으로 느꼈다.

방 앞에는 수많은 구두와 운동화가 복잡하게 뒤섞였다. 발 냄새와 가죽 냄새가 섞여 풍겼다. 조의금 함에는 여덟 살 정도 되는 아이가 혼자 앉아 있었다. 꽤나 어른스러웠다. 아이는 가벽 너머로 빈소로 눈길을 던졌다. 시선이 멈춘 빈소에는 상주가 손님과 맞절을 했다. 방명록에 이름을 쓰고 구두를 벗었다. 빈소 앞에서 상주가 나올 때까지 기다렸다. 접객실에는 다섯 명이 식사를 했고 반대편에는 혼자 벽을 바라보는 여자가 앉았다. 일하는 두 명의 보조 직원은 식사를 준비했다. 광택을 잃은 쟁반에는 절편과 김치, 콩 등의 밑반찬이 올라갔다.

조문객이 빈소에서 나오자 뒤따라 나오던 상주는 나를 보고는 다시 들어갔다. 향로에는 네 개의 향이 꽂혀 있었다. 그 중 하나는 삼분의 일이 회색으로 타들어갔다. 향이 유지되어야 망자의 혼이 머물 수 있다. 빈소는 망자의 혼이 타고 돌아다닐 향냄새로 가득했다. 단은 화려하지 않았다. 간단한 과일들과 약과, 떡으로 구성된 형식적인 단에 불과했다. 독특하다면 단 아래에 트럼펫이 놓여있다. 망자가 생전에 불던 금빛 트럼펫이 어색하게 조립되어 주인을 기다렸다. 영정 사진 속 망자는 나이가 젊은 여자였다. 젊은 사람이 언제 영정 사진을 찍었을까.

향 세 대를 뽑아 단의 촛불로 불을 붙였다. 향 끝이 빨갛게 달아올랐다. 향 끝에서 작은 연기와 냄새가 빠른 속도로 올랐다. 천천히 분향을 하고 뒤로 물러섰다. 손을 모아 무릎을 꿇고 상체를 굽혔다. 내려가는 동안 밀려 오르는 자켓을 느꼈다. 어깨 안감이 과하게 올라가 볼품없는 모습이겠지만, 그건 중요하지 않았다. 이어서 두 번째 절을 했다.

“고인의 명복을 빕니다.“ 상주와 목례를 하고는 말했다.

“와 주셔서 고맙습니다.” 상주는 답했다.

상주의 얼굴에는 생기가 없었다. 감사를 표하고 있었지만 얼굴은 일그러졌다. 그는 구겨진 얼굴을 최대한 폈을 것이다. 구겨진 종이를 아무리 펴도 그 주름은 남지 않는가. 이어 고등학생 정도 되는 아이를 손으로 가리키며 말했다.

“우리 둘째입니다. 셋째는 부의금 함 앞에서 쉬고 있어요.” 목소리는 건조했다. 몸을 틀어 고등학생과 악수를 했다.

접객실은 엄숙했다. 눈물을 머금은 공기가 물을 흡수한 솜처럼 가라앉았다. 그 솜이 폐 안으로 들어와 횡경막 사이사이 공간에 나앉았다. 곳곳에서 한숨 소리가 들렸다. 조문객들 중 그 누구도 대화를 하지 않았다. 그저 자신의 반찬과 국에 집중할 뿐이었다. 식사 중인 손님들은 홀로 앉은 여자의 눈치를 보았다. 마치 거대한 가상의 벽이 있는 듯 접객실은 크게 두 공간으로 나뉘었다. 한 눈에 보아도 망자의 어머니이자 상주의 아내였다. 여성이 뿜어내는 슬픔의 깊이가 강했다. 자리에 앉자 보조 직원이 다가왔다.

“식사를 드릴까요?” 직원이 물었다.

“네. 준비해 주세요.” 나는 답했다.

보조 직원은 은쟁반에 육개장과 반찬, 견과류와 떡, 음료를 올렸다. 은쟁반은 테이블에 깔린 비닐에 닿아 부스럭 소리를 냈다. 비닐의 플라스틱 냄새와 음식 냄새가 한데 뒤섞여 여간 속이 좋지 않았다. 표정이 없는 직원은 식사를 내리고 물러났다.

여자는 내가 앉자 벽에서 시선을 거두고 망연히 쳐다보았다. 내 얼굴을 뚫어지게 바라보았지만 실상은 아무것도 보고 있지 않았다. 물기 가득한 눈에는 초점이 없다. 얼굴 앞발치에 놓인 허공의 점을 응시하는 모양이었다. 눈빛은 색을 아주 잃었다. 죽은 시체의 눈빛보다도 생기가 없었다. 안구는 움직이지 않고 입 꼬리는 들썩였다. 상주가 빈소에서 나와 아내에게로 다가왔다. 이윽고 아내의 등을 두드리고 어깨를 잡고 눈을 마주쳤다. 아내는 응시하던 점에서 눈을 떼고 남편을 바라보았다. 두 혼이 나간 남녀가 서로를 바라보았다. 무너진 제국이 남긴 잔해를 바라보는 눈빛이었다. 남은 자국을 살피다 상실을 깨달은 자의 눈빛이었다. 아내는 당장이라도 울 기세였지만 몸 안에 물이 전부 사라져 단념했다. 남편은 아내를 벽으로 이끌었다. 이제 아내가 손님을 바라보는 모양새가 되었다. 남편은 조금만 기다리라는 말을 했지만 아내는 아무런 대꾸도 하지 않은 채로 허공의 또 다른 가상의 점을 응시했다. 아내의 머릿속에서는 무엇이 재생되고 있을까. 눈앞의 상을 지워버릴 만큼 강력한 회상이다. 반대편 테이블에 있는 사람들은 아무 말 없이 아내를 흘끗쳐다보고는 다시 식사에 집중했다. 분위기를 바꾸려 몇 마디 큰 소리로 외치는 노인들도 있었으나 큰 도움이 되지 않았다.

아내가 뿜는 죽음의 기운은 강했다. 죽은 딸보다도 죽음의 빛이 강하게 뿜어져 나왔다. 산 사람에게서 저토록 깊은 망자의 빛이 새어 나올 수 있는가. 조문객들은 기가 질렸다. 남편은 조문객에게 다가갔다. 그들은 망설이다가 자리에서 일어났다. 아내 쪽으로 다가가려하자 남편은 '좀 있으면 괜찮아질 겁니다.'라며 접근을 막았다. 폭발할 폭발물을 다루 듯 조심스러웠다. 조문객들도 걱정과 두려움,

답답함을 한데 끌어안고 자리에서 일어났다. 한 순간에 세 개의 테이블이 비었다. 출구는 문전성시를 이뤘다. 여덟 살 셋째는 "아빠"라고 외치며 또 다른 조문객이 왔음을 알렸다. 상주는 다시 빈소로 들어갔다. 곧 곡소리가 새어나왔다. 울음소리가 들리자 여자는 가상의 점에서 시선을 거두었다. 초점이 잡히더니 동공이 흔들렸다. 곧이어 신경질적인 울음이 터져 나왔다. 여자는 가슴을 치며 나오지 않는 곡을 했다. 혼절할 기세였다. 여자는 상체를 바닥에 붙이고 곧 들썩였다. 빈소에서 조문객이 접객실에서 함께 울었다.

언젠가 R은 말했다.

"모르는 사람의 장례식에 가는 건 흥미로운 일이야. 그 누구도 내가 누구인지 묻지 않고 철저히 익명 속에 숨어 있을 수 있지. 서로 아내 쪽의 친구이거나 남편 쪽의 친구라고 생각하겠지. 모르는 사람 장례식에 가는 게 좀 껄끄럽긴 하지만, 반대로 생각해보면 그 누구보다 망자를 있는 그대로 바라보는 사람은 그 사람이야. 가족보다 친구, 친구보다 모르는 사람이 한 인간을 편견 없이 볼 수 있으니까."

그럴지도 모른다. 물론 나는 빈소의 여자가 죽기 전 몇 시간만을 함께 했을 뿐이지만 이곳에 찾아온, 목소리 높여 분위기를 바꾸려는 노인들과 처세를 위해 찾아온 직장 동료, 심지어 그 가족들보다도 깊은 이해를 하고 있을지도 모른다.

코미디언은 무대 위에서 농담을 시작한다.

"사람들은 자살한 사람들을 잘 이해하지 못하는 것 같아요. 얼마 전에, 제 친구가 죽었을 때 다른 친구가 그러더군요. "그가 왜 자살했는지 모르겠어." 그럴 때마다 저는 되묻습니다. "모른다고? 너는 무슨 꿈과 환상의 세상에서 사는 건가? 인생이 뭔지 몰라? 실망스럽고 계속 망치다가 최악으로 끝나는 게 인생이라고. 남자가 목을 메는 경우는 딱 두 가지야. 현실에서 벗어나거나 자위하거나." 사람들은 박수를 치며 폭소한다.

자기 파괴는 성장의 기본이며 본질을 깨닫는 과정이다. 이때의 자기 파괴는 술에 잔뜩 취하거나 담배를 펴서 숨을 못 쉬는 그런 파괴가 아니다. 자신의 추악한 면을 들여다보고 죽음을 들이쉬는 일이다. 그 한계에 도달하여 자살하지 않고는 못 버틸 때 변화가 생기고 진정한 성장을 이룬다. 그렇기에 "자살한 사람은 한심하다."라는 말은 어불성설이다. 이 말에는 죽음을 경시하는 태도가 담겨있다. 자살한 사람은 한심하지 않다. 목숨을 끊을 정도로 치열한 삶을 살았고 한계점에서 스스로를 극복하지 못했다. 진정으로 삶을 사랑하는 사람은 자신의 죽음조차도 사랑한다.

바텐더는 흔들던 셰이커 속 음료를 잔에 따랐다. 연두색의 음료는 조명을 받아 선명해졌다. 소금을 잔 주변에 둘렀고, 바 테이블 위에 올렸다. 웨이터는 마가리타를 서빙했다. 앞 쪽 무대에서는 밴드가 재즈를 연주했다. 피아노와 드럼, 콘트라베이스, 트럼펫이 서로의 힘을 주고받았다. 콘트라베이스의 둥둥거리는 낮은 음이 몸을 울림

통 삼아 진동했다. 하이네켄 코스터 위에 놓인 온 더 락 잔의 아드벡(Ardbeg) 10년산은 어두운 조명에도 색이 옅었다. 가볍게 입술을 가져가 한 모금 마셨다. 탄 장작 냄새와 부드러운 버터 향이 코를 감쌌다. 스모키한 과일 향이 혀에 남는 것도 잠시 술은 점도 있게 목을 타고 내려갔다. 식도를 긁으며 곳곳에 상처를 냈고 알코올이 스미며 통각이 더했다. 시트러스한 향이 강한 알코올에 실려 뜨거운 콧김으로 밀려나왔다. 뜨거운 공기는 안정감을 주었다.

재즈 밴드는 자주 보았지만 트럼페터를 본 건 처음이었다. 그것도 여자 트럼페터는 처음이다. 가녀린 몸에서 강력한 힘이 느껴졌다. 압축된 힘이 폭발적으로 트럼펫을 통해 빠져나왔다. 잔뜩 찡그린 얼굴은 고뇌로 가득 차 보였다. 큰 트럼펫 소리는 무너지며 들렸다. 그러나 노트들이 강력해 귀청을 뚫고 들어와 잔향이 오래 남았다. 음이 멈춰 공기 중으로 흩뿌려 졌을 때도 소리가 가진 강력한 인력은 온 몸을 끌어당겼다. 트럼펫의 독주라고 해도 무방했다.

피아노를 치는 리더는 준비한 모든 연주가 끝나자 한 명씩 소개했다. 짧은 '하나 둘 셋'과 함께 경쾌한 재즈 리듬이 나오며 익살스럽게 연주를 이어갔다. 이름이 불릴 때마다 가벼운 독주를 이어갔다. 트럼페터는 화려한 손놀림으로 세 개의 버튼을 누르고 풀기를 반복했다. 얼굴을 벌겋게 달아올랐다. 찡그린 얼굴 속에서 묘한 쾌감이 보였다. 연주가 끝나자 앨범에 대한 그렇고 그런 홍보가 있었다. 사람들은 큰 관심을 보이지 않았다. 관중들은 연주 동안 하지 못했던 이야기를 두런두런 나누었다. 트럼페터는 짐을 정리했다. 트럼펫을 분리하고 가볍게 닦았다. 트럼펫은 빛을 반사하여 강렬한 금빛을 내었다. 매력적이고 슬픈, 대단한 소리이지만 그 뒤의 고통을 쉽게 가늠할 수는 없었다. 트럼페터는 연주를 마치고, 바 옆 자리에 앉았다. 스물여덟 정도로 흰색 셔츠에 검은색 치마, 어깨에 블레이저를 걸쳤다. 그녀는 보드카 마티니를 주문했다. 바텐더는 주문을 받고는 닦던 잔을 머리 위 철제 레일에 걸었다. 위스키가 담긴 잔에는 대기압으로 물방울이 알알이 맺혀있었다.

"연주가 많이 처절하던데요." 나는 잔을 만지작거리며 말했다.

"재즈란 원래 그런 거니까요. 고달픈 삶을 독특한 박자로 녹여내었으니 구슬플 수밖에요." 여자가 고개를 돌리며 답했다.

여자에게는 알싸하고 매운 냄새가 풍겼다. 캡사이신과 고깃기름이 만난, 독특하지만 날카로운 냄새는 폐에 깊숙이 박혔다. 재즈 때문이 아니다. 재즈가 아무리 힘든 음악이라고 해도 그런 음정과 분위기 사이사이에 매운 냄새를 숨길 수는 없다. 나는 물었다.

"당신은 지금 죽고 싶은 거죠? 자살 시도를 했거나 심각하게 고민 중 인거 같은데." 여자는 고개를 돌려 한동안 바라보았다. 눈에는 눈물이 맺혀있었고 당장이라도 터지기 직전이었다. 잔에 맺힌 물방울이 질량을 이기지 못하고 미끄러져 내려갔다. 아래에 있는 작은 물방울들은 큰 물방울에 더해졌고 커져 가속도가 붙었다. 코스터에 도착했을 때 잔에는 물의 길이 남았다. 얼음이 서서히 녹고 있었다.

"오늘이 마지막 연주입니다." 여자는 단호하게 운을 뗐다.

트럼페터는 오늘이 마지막 연주라고 말했다. 합주가 시작하는 오후 여덟 시가 되기 두 시간 전 여자는 대교로 향했다. 난간 아래로는 여자를 집어 삼킬 검고 차가운 물이 아가리를 벌리고 기다렸다. 어두워서 그 속을 가늠조차 할 수 없었다. 우울과 죽음의 기세는 당장이라도 뛰어내리라고 외쳤다. 하지만, 떨어질 수 없었다. 용기가 없어서일까. 삶에 여운이 남아서일까. 30분 정도 삶과 죽음의 치열한 대치가 이루어졌다. 마지막으로 연주 한 번이라도 하고 가자고 생각했다.

트럼페터가 대교로 향한 건 그녀의 애인 때문이었다. 의지를 많이 했는데 스스로 목숨을 끊었다. 독특한 사람이었다. 가까이 다가가고 싶지만 넘을 수 없는 벽이 있었다. 그 벽이 강고해서 결코 부술 수 없었다. 장벽 안쪽에 본질이 있는데 그 모습을 끝내 보여주지 않았다. 아니 어쩌면 그 사람은 트럼페터가 필요하지 않았을지도 모른다. 혼자서 살아가기에 충분했고 부족할 것 없는 사람이었다. 은연중에 알고 있으면서도 여자는 매달렸다. 당장 자신이 의지할 나무가 필요했다. 그 마음의 문을 열고자 여자는 애인을 위해 연주했다. 예리코 전투에서처럼 나팔을 불면 마음의 벽이 무너지리라고 믿었다. 최소한 그런 간절한 심정으로 트럼펫을 불었다. 애인이 직접 연주를 듣기도 했다. 물론 형식적인 평가뿐이었다. 심적인 동요는 없었다. 그 단단한 마음의 벽을 가졌던 애인은 결국 스스로 소멸되어 끝내 마음 안쪽을 보여주지 않았다. 트럼페터는 죄책감을 느꼈다. 어쩌면 그 마음속을 들여다보면 안 되는 것이 아니었을까. 이기심이 앞서서 애인의 모든 면을 보고 싶었던 게 아닐까. 아니, 애초에 이런 관계가 일방적이었던 게 아닐까. 애인이 죽고 나서 트럼페터는 한 동안 나팔을 잡지 않았다. 이미 부러진 나무는 썩기 시작했고 자신의 마음 속 무너진 성을 복구하고자 하는 의지는 사라졌다. 애인을 향해 욕을 하고 용서를 구하기도 했다. 물론 돌아오는 대답은 없었다. 가슴이 찢어질 듯 아팠다. 방금 연주는 오로지 트럼페터 자신만을 위한 연주였다. 자신에게 남은 일말의 희망을 부수고 철저히 쪼개 없애기 위한 연주였다. 쪼개진 희망은 트럼펫의 노트들 사이사이에 스몄고 스민 음들은 강력하고 파괴적인 재즈를 풀어냈다. 재즈와 곡(哭)이 섞인 음악은 압도적이었고 무엇보다 진심이었다.

여자의 상황은 R의 부고를 들었을 때를 상기시켰다. R의 자살 소식은 묘했다. 타살이나 사고사와는 어울리지 않았고 철저히 스스로의 손에 의해 소멸하리라는 결말은 머릿속에 항상 있었다. 정해진 운명대로 상실되었다고 생각하면서도 실감이 나지 않았다. 그날 나도 모르게 아파트 옥상으로 향했다. 죽어야겠다는 생각을 하지 않았다. 옥상에서 도착하자마자 보인 건 푸른 하늘이었다. 그날따라 하늘은 맑았고 구름 한 점 없었다. 먼지가 잔뜩 쌓인 물탱크와 가스통, 회색의 바닥에 보일러 돌아가는 소리와 퀴퀴한 냄새까지 났다. 문 옆의 대걸레는 바싹 말라 있었다. 옥상 끝으로 다가가 아래를 내려다본다. 어쩐지 아찔함보다는 편안함을 느꼈다. 이리저리 주차된 차들과 놀이터에서 노는 아이들이 보였다. 마치 장난감 병정과 장난감 자동차 같았다. 머릿속에서 뛰어내리는 영상을 반복적으로 보여주었다. 발을 올리고 미끄러져 추락하는, 실족사의 한 장면이었다. "한 번만 용기내면 돼"라고 생각했다. 그러나 도저히 뛰어내릴 수 없었다. 죽고 싶었는데, 죽을 수가 없었다.

"이제 어쩔 생각이죠?" 술잔의 옆면을 엄지로 쓰다듬으며 물었다.

"집에 가서 조용히 죽어야겠죠." 여자는 담담하게 답했다. 여자는 골똘히 생각하더니 고개를 들어 말했다.

"욕조에 물을 받고 죽는 게 좋겠군요. 혹시 추천해줄 방법이 있나요? 아니면, 도와주세요. 좋은 구경하는 셈 치고." 여자는 말했다. 내면이 무너진 사람은 어떻게 되어도 신경조차 쓰지 않는다. 세계가 당장 내일 멸망한다고 해도 두려움이나 살려는 의지 따위 없다. 그녀의 세계는 이미 무너졌으므로.

행복해야할 결혼식에 신부 저스틴은 우울증을 앓는다. 골프장에서 하객과 충동적으로 섹스를 하고, 나타나야할 시간에 나타나지 않아 분위기를 망친다. 결혼식을 준비한 언니 클레어는 난감하다. 동생이 밉다. 그날 밤, 신랑은 떠나고 결혼을 깨진다. 저스틴은 극심한 우울증에 빠진다. 한편, 지구보다 두 배 가량 큰 소행성 멜랑콜리아가 지구를 스칠 것으로 예상된다. 과학자들은 소행성이 스치며 멋진 우주 쇼를 제공한다고 단언한다. 그럼에도 클레어는 불안하다. 인터넷으로 멜랑콜리아의 궤적을 찾아보고 천문학자인 남편 존에게 계속 되묻는다. 남편은 그럴 때마다 괜찮다고 걱정하지 말라고 다그친다. 멜랑콜리아의 시지름이 달의 크기보다 커졌을 때 존은 자신의 계산이 틀렸음을 깨닫는다. 멜랑콜리아는 지구와 충돌한다. 지구는 멸망한다. 클레어는 아들을 살리려 아등바등한다. 그러나 저스틴은 아무렇지 않다. 집에서 차분하게 음식을 즐긴다. 오히려 전보다 기분이 나아 보인다. 라스 폰 트리에의 영화 <멜랑콜리아> 속 커스틴 던스트와 트럼페터의 표정이 겹쳤다. 자신의 세상을 잃은 자는 살인자를 집에 들여도 개의치 않는다. 개인적인 멸망은 그 어떤 멸망보다도 파괴적이다. 이 여자는 몇 분 전 대교에서 마지막 희망을 버렸다. 지금 내가 마주한 여자는 내면이 모두 바스라진 껍질이다. 그러나 껍질 안에는 아무 것도 채울 수 없다. 이미 죽음이 가득 차 있기 때문이다.

익사는 고통이 심하다. 폐에 물이 차고 숨을 쉬지 못해 고통 받는다. 실패할 확률도 높다. 욕조 밖으로 고개를 내밀면 그만이다. 자신의 의지로 욕조에서 죽지 못한다. 본능은 죽음의 문턱에서 기다린다. 죽음의 순간에는 이성이나 감성은 모두 사라지고 원초적인 본능만이 남는다. 여자는 스스로 죽음을 마주했다. 그리고 인생을 40분가량 진행된 재즈 연주에 함축했다.

여자의 집은 깔끔했다. 이사를 준비하는 집처럼 짐이 얼마 없었고 남은 짐마저도 박스 안에 담겨있었다. 식탁 위에는 유서가 놓였다. 여자가 가진 짐이라고는 소파와 식탁, 거실의 아가베 정도였다. 오는 길에 사온 커다란 비닐을 꺼냈다. 비닐의 한 쪽을 묶어 공기가 새어나가지 않도록 했다. 혹여나 새지는 않을까 몇 번이고 확인했다. 여자는 안방에서 나체로 나와서 비닐 속으로 기어 들어갔다. 탄탄한 몸매에 봉긋한 유방을 가진 아름다운 몸이었다. 죽기 전에 마지막 남길 말을 물었다. 여자는 싱긋 웃어 보이며 유서 속에 다 있다고 고맙다는 말을 남겼다. 아무런 때 묻지 않은 순수한 웃음이었다. 비닐의 반대편을 질소 배관과 연결하려고 하자 여자는 말했다.

“니체는 <선악의 저편>에서 ‘괴물과 싸우는 사람은 그 싸움 속에서 스스로 괴물이 되지 않도록 조심해야한다. 당신이 그 심연을 오랫동안 들여다본다면 심연 또한 당신을 들여다보게 될 것이다.’라고 말했어요. 사람들은 자신의 심연 속에 괴물이 살고 있다고 생각해요. 니체 말 때문이기도 하겠지요. 하지만 심연에는 당신이 생각하는 괴물은 없어요. 그저 극복하지 못한 무언가가 있을 뿐이에요. 당신이 어떤 삶을 살았는지 모르지만 당신은 모든 것을 기억하고 느껴요. 애인이 죽기 전에 제게 해 준 말이에요.” 여자는 만족스러운 듯 비닐을 끌어당겼다.

2.5리터의 작은 질소 가스통 꼭지를 돌렸다. 스읏하는 소리가 나며 질소가 밀려들어갔다. 여자의 몸에 손을 올렸다. 점차 부풀어 오르는 비닐을 느꼈다. 3분가량 넣었을 때 비닐은 잔뜩 부풀었다. 질소는 점점 졸음을 부른다. 자연스러운 안락사. 이것이 내가 줄 수 있는 유일한 선물이다. 비닐 너머의 여자를 확인했다. 비닐에는 습기가 맺혀 실루엣만이 보였다. 더 이상 호흡은 없었다. 그래도 조금 더 기다리기로 했다.

자살은 죽으려는 욕구임과 동시에 살려는 욕구이다. 현재의 고통스러운 상황을 죽음을 통해 벗어나려는 아이러니한 시도이다. 어쩌면 그녀는 살고 싶었는지도 모른다. 바에서 나눈 대화는 살려달라는 외침일 지도 모른다. 니체의 이야기가 살려달라는 말일 수도 있다. 그러나 그 외침은 자신의 외침이 아니다. 한 생명으로서의 본능이 내비치는 소리 없는 아우성이다. 내면이 멸망했기에 삶은 의미가 없다. 바이러스가 퍼져나가 듯 삶은 죽음에 감염되었다.

나는 그때 왜 20층에 떨어지지 못했는가. 왜 머릿속의 영상 가이드라인을 따르지 못했는가. 옥상 문이 열려있고 모든 게 갖춰진 상황이었다. 당장이라도 죽을 준비가 되었다. 그러나 살려는 의지가 없었다. 죽으려는 의지만 충만했다. 삶을 사랑하지 않았기에 죽음도 사랑하지 못했다. 죽음을 가로막았던 두려움과 아찔함은 개인적 멸망이 이루어지지 않았음의 반증이었다.

여자는 죽기 전에 말했다. 심연에는 당신이 생각하는 괴물이 없다. 극복하지 못한 무언가가 있을 뿐이다. 당신이 어떤 삶을 살았는지 모르지만 당신은 모든 것을 기억하고 느낀다. 여자의 말은 쉽게 이해할 수 없었다. 어렴풋 잡힐 듯 했지만 조금만 구체적으로 생각하면 다시 흩어졌다. 심연에는 나름 멋진 괴물이 있다고 여겼다. 끝이 날카롭고 잔뜩 뾰족한 성게와 같은 괴물. 누군가가 다가오면 밀어내고 찔렀다. 그 가시는 안쪽으로도 돋아있어서 스스로를 찔렀다. 타인을 향한 혐오는 사실 나를 혐오였다. 남을 찌르는 동시에 나를 찔렀고, 남을 죽이면 내가 싫어하는 나의 모습도 죽었다. 살인을 즐길 수 없었던 이유는 그것이었다. 살인은 나도 아프게 했다. 살해하려는 욕구는 사실 살해당하려는 욕구였고 살려는 욕구와 다르지 않았다. 살고 싶어 살인을 저질렀고 죽고 싶어 남을 죽였다. 가시 돋은 괴물은 분노와 혐오를 먹고 자랐다. 타인을 향한 혐오가 커질수록 자신에 대한 혐오도 커져갔다. 내면의 가시도 부풀고 있다는 사실을 애써 부정했다. 자기혐오는 성장의 과정이었기에 나아가기 위한 성장통 정도로만 생각했다. 더 강인하고 단단해지기 위한 과정이라고 생각했다. 무력감이 물밀듯 밀려왔다. 내 몸은 한 없이 작아지는데 주변의 사물과 가구들은 무한히 커졌다. 이럴 땐 운전이 도움이 된다는 걸 본능적으로 알았다.

충동적으로 짐을 싸서 집을 나선다. 짐은 무겁지 않다. 검은색 백팩에 들어갈 정도의 간단한 옷가지와 비상식량 정도. 집 앞에 주차된 토요타 캠리에 오른다. 조수석에 가방을 던져 놓고 운전대를 잡고서 한참을 생각에 빠진다. 생각의 주제가 명확하지는 않다. 이리저리 주제를 옮겨가며 이어지는 뇌리 속에서 시야가 흔들린다. 사이드브레이크를 해제하고 클러치를 밟으며 1단 기어를 넣는다. 기어봉이 부드럽게 밀리며 정확한 톱니가 맞물린다. 그렇게 정처 없이 고속도로에 오른다. 산으로 들어가자. 사람들이 없는 곳으로 가자. 묵을 곳은 가서 정해도 충분하다. 액셀을 밟을 때마다 엔진은 회전수를 늘렸고 엔진음과 타이어 소리에 몸을 묻는다. 기계로부터 오는 포근함에 몸을 숨겨본다.

가로등이 드문드문 놓인 어두운 산길을 굽이굽이 오르는 동안 오른손과 왼발은 기어 변속을 하느라 진땀을 뺐다. 덕분에 다른 생각을 할 틈이 없었다. 구불구불한 산길을 헤드라이트만이 밝혔고 코너에서 굳이 속도를 줄이지 않았다. 차가 밀려 떨어진다면 그것으로 되었다. 산골 펜션에 도착했을 때 체력을 전부 써버렸다. 6시간

연속으로 운전했으니 이상하지도 않은 결과였다. 산골은 사위가 어두워 주위를 분간할 수 없었다. 거대한 어둠 속에서 주인이 나와 맞이해주었다. 간단하게 짐을 던져두고 곧바로 잠에 빠졌다. 꿈 한 점 없는 칠흑 같은 잠이었다.

연신 힘주는 소리와 나무가 쪼개지는 소리가 들린다. 내가 어디에 있는지 판단이 서지 않는다. 높은 천장에 매달린 조명 속 나방이 눈에 들어온다. 나방은 나가려고 날갯짓을 반복했지만 부질없다. 문을 열고 나가니 캠리 옆에 누렇게 색이 바랜 포드 픽업 트럭 한 대가 주차되어 있다. 어제 안내해주었던 주인집 남자는 아침부터 나무를 팼다. 인기척을 느끼고 남자는 허리를 꼿꼿이 펴고는 웃으며 묻는다.

"일어 나셨어요? 잠자리는 좀 어떠셨어요? 안 추우셨나요?" 목에 걸린 회색 수건으로 볼에 흐르는 땀을 훔친다.

"덕분에 편히 묵었습니다." 남자의 도끼를 살피며 답한다. 나무 손잡이로 된 도끼는 한 눈에 보아도 놀라울 정도로 오래되었다.

"여기가 산골이라 인터넷이 안 터져서 뭐 할 만한 게 없을 거예요. 저기 뒤로 돌아가시면 한 시간 정도 등산 코스가 있어요. 근데 산길이 워낙 험해서 조심하셔야 할 겁니다. 길을 잘못 들면 큰일 납니다. 한 5분 정도 걷다보면 갈림길이 있어요. 파란색 리본이 달린 곳인데 왼쪽으로 가면 등산로로 이어지고, 오른쪽으로 가면 산 속으로 들어가요. 나도 처음에 그리로 들어갔다가 한참 애먹었다니까." 남자는 도끼를 내리고 양손을 뻗어 오른쪽과 왼쪽을 설명한다. 길의 모양을 흉내 내는 모습이 우스꽝스럽다.

"혹시나 잘못 들어 갈까봐 나무에다가 칼집을 내 놨어요. 문구도 몇 개 써 놓았고요. 혹여나 들어가면 그거 보고 반대로 가면 됩니다. 아, 여기로 가면 안 되겠구나 싶어요." 남자는 사람 좋은 웃음을 내비치며 말한다. 남자는 도끼를 나무 밑동 옆에다 기대고는 주머니에서 담배를 꺼낸다. 남자는 나에게 담뱃갑을 들어 보이며 권한다. 가볍게 고개를 저어 거절한다. 오른손 검지와 중지로 잡고는 왼손을 이용해 라이터를 꺼낸다. 담배 끝은 붉게 그을려 연기가 피어오른다. 담배를 피는 이유는 시각적이기 때문이라고 생각한다. 니코틴이 주는 중독적인 쾌감은 차치하고 뿌연 담배 연기에는 고됨과 슬픔 등이 실렸다고 믿기에 충분하다. 물론 일시적인 해방일 뿐이다. 바라보는 시야를 바꿔본다. 흑과 백이 상반되어 보인다. 반전된 모습은 빛 속의 어둠을 보여준다. 웃는 얼굴 뒤에는 공포스러운 우울이 잠들어있다.

예상했겠지만 나는 등산로로 이어지는 왼쪽 길이 아닌, 가지 말라는 오른쪽 길을 선택했다. 입구에서부터 온갖 종류의 표지판과 신호들이 있었다. 오히려 그런 경고들이 가고 싶게 만들었다. 흰 코끼리를 생각하지 말라고 하면 기필코 머릿속에 흰 코끼리가 떠오르는 것처럼 말이다. 이곳으로 들어가 길을 잃은 사람들이 얼마나 될까. 어느 정도 걸어 들어가 보니 경고문과 칼집은 사라졌다. 문득 뒤를 돌았을 때는 전부 나무뿐이어서 방향 감각을 잃었다. 주변은 빼곡히 나무로 가득했다. 이상하게 두렵지 않았다. 오히려 달콤한 향이 나는 털에 파묻히는 포근함을 느꼈다. 작은 가방 안에는 작은 물병 하나와 책 한 권만이 있었다. 이렇게 아무런 지표 없이 나아가도 될까. 나침반 하나쯤은 챙겨 왔어야하는 건 아닐까. 분명 이 산은 처음인데 와 본 듯한 기시감은 왜일까. 쓸데없는 상념들이 머릿속을 떠다녔다. 그늘 속 바람은 살을 훑고 지났고 섬찟함이 걸음마다 생겨났다. 눈을 감고 빙글빙글 돌아 완전히 방향을 상실했다. 설정한 방향으로 다시금 걸어갔다. 이제 나갈 수 있다는 그 희망을 완전히 뭉개버렸다. 그렇게 깊은 숲 속으로 들어가 괜찮은 곳에 자리를 폈다.

다리를 모으고 앉아 나무 하나를 응시한다. 그곳에서 내면의 가시 괴물과 마주한다. 검디 검은 괴물은 가시를 부풀리고 찌르려고 한다. 심연에 다가갈수록 고통스럽고 심장이 옥죄여 온다. 숨이 쉬어지지 않는다. 그런 시도를 몇 번이고 반복한다. 다가갈수록 손으로 심장을 움켜쥐는 느낌이다. 명치 아래 부분이 아프기 시작한다. 심장에 모래가 쌓이고 조금씩 피폭되는 느낌이다. '찡'하는 소리가 귀에 스친다. 맵고 알싸한 냄새가 코끝을 반복적으로 스친다. 그러다 얼마나 지났을지 모르던 순간에 괴물은 사라졌다. 날카로운 가시는 허상이었고 찌르면 아프다는 통각은 느낌에 불과했다. 그 속에는 한 아이가 있다. 아이는 블랙박스를 들여다본다. 검은색 박스 안에 고개를 집어넣지만 아이는 어둠에 가린 심연이 보이지 않는다. 아이가 박스에 고개를 처박은 모습이 3인칭으로 변하고, 그 위에서 또 다른 아이가 고개를 처박고 블랙박스를 보는 아이를 바라본다. 얼굴은 없다. 얼굴 없는 아이는 얼굴 없는 아이를 바라본다. 아이는 블랙박스 속 스스로의 모습을 인식하지 못한다. 두려운 듯 잔뜩 겁에 질려있다. 심연에는 극복하지 못한 무언가가 있다. 내 심연에는 아이 한 명이 울고 있다. 호기심 가득한 아이는 눈물을 흘리며 서럽게 운다.

눈을 뜨자 주변의 숲은 한 톤 가라앉는다. 분명 무언가가 바뀌었는데 무엇인지는 모르겠다. 자리를 정리하고 다시 무작정 걷기 시작한다. 멀리서 나무패는 소리가 들리고 익숙한 자동차 번호판과 건물이 보인다. 결국 크게 돌아 다시 원점이다.

베르테르가 스스로에게 편지를 썼던 순간

아이가 다가온다. 오른손에 긴 검을 들었다. 왼손으로 내 머리카락을 움켜쥔다. 두피가 당긴다. 목에 칼을 댄다. 주변은 군인들의 환호 소리로 가득하다. 어느새 흰꼬리수리가 날아와 허벅지에 앉는다. 고개는 빠르게 그러나 절제되어 움직인다. 흰꼬리수리의 발톱이 허벅지를 파고든다. 헨델의 <울게 하소서>가 들린다. 그 악조가 내게만 들리는지 다른 사람들도 들리는지는 모르겠다. 서늘한 칼의 기운이 목 옆에 느껴진다. 서늘하다 못해 뜨거울 지경이다. 아이는 힘을 주어 목을 벤다. 서걱서걱 소리가 들리며 근육이 잘린다. 동시에 흰꼬리수리는 옆구리에 부리를 처박고 간을 뜯어먹는다. 아리아(Aria)는 클라이맥스를 향한다. 눈을 치켜들어 아이를 쳐다본다. 아이의 턱 근육이 부푼다. 눈썹을 찌푸린다. 목에서 피가 흐른다. 흰꼬리수리의 얼굴은 피로 범벅되었다. 간과 연결된 혈관이 늘어진다. 피의 냄새가 스친다. 고통스럽지만 소리를 지를 수는 없다.

바람에 블라인드가 밀려 움직였다. 블라인드가 창에서 멀어질 때마다 날 선 햇빛은 목을 찌었다. 양달은 여름의 열기를 품었지만, 응달은 겨울의 냉기를 품었다. 한여름의 습기는 힘을 잃었고 건조

한 바람이 불었다. 선선한 바람은 상쾌했지만 금세 휘발되었고 우울이 빈자리를 메웠다. 우울과 상쾌는 서로의 자리를 채우며 나아갔다. 무의식의 깊이가 점점 얕아졌다. 꿈이 상징하는 바는 명백했지만 생각하지 않고자 했다. 하지만 이미지가 찝찝하면서 아름답고 환상적이어서 떨치기 어려웠다.

순간 목 뒤로 넘어가는 피 맛이 난다. 철의 맛 이맘때면 서늘한 피가 항상 괴롭힌다. 불규칙한 잠을 자서 그런지 부쩍 건조해진 바람 때문인지는 알 수 없다. 코 안쪽이 부었다. 부푼 코를 잠재우려 검지 끝을 밀어 넣는다. 이렇다 할 변화는 없다. 피의 맛은 겨울의 맛이다. 매년 쏟아내는 검붉은 피. 콧물보다는 옅은 점도로 비강을 따라 미끄러져 내린다. 본능적으로 피의 흐름을 느끼고 급한대로 고개를 치켜든다. 덩어리 진 피가 코를 부드럽게 넘어 식도로 미끄러지며 혀의 후미를 훑는다. 올해도 어김없이 피의 맛을, 겨울의 맛을 느낀다.

누군가 초인종을 누른다. 경박하고 높은 소리와 함께 중저음의 목소리가 문을 두드리며 이름을 외친다. 분명한 내 이름이다. 현관으로 다가간다. 문을 생각보다 거칠게 두들기자 본능적인 불안을 느낀다. 경찰일 수도 있다. 아니면 복수를 하러 온 사람일 수도 있다. 수사망이 좁아진다고 느끼지만 지금은 아니라고 확신한다. 거칠게 문을 두드리는 소리가 반복되더니 이내 멈춘다. 문 밖의 남자는 걸음을 옮긴다. 아니, 걸음을 옮기는 척 할 수도 있다. 혹시 모르는 상황에 대비해야한다. 현관 앞에서 기다린다. 집 안에 아무도 없음을 적극적으로 표현한다. 어쩌면 남자는 문 앞에서 기다릴 수도 있다. 갔다고 판단하고 문을 열 때, 그때가 위험하다. 현관 볼록 거울을 통해 복도를 살핀다. 복도에는 아무런 인기척도 들리지 않는다. 바닥에 놓인 편지 한 장뿐이다.

편지 봉투에는 내 이름 세 글자가 명확히 적혔다. 편지를 보낼 사람은 없다. 가족과 연락이 끊긴지는 오래였고 연락하는 친구도 없다. 가늠이 가는 유일한 사람은 있었다. 십 수 년 전 스스로 목숨을 끊은 R. 지금에서야 편지가 올 리 없지만 왠지 R이라면 가능할 듯했다. 봉인된 입구 옆쪽에 손가락을 밀어 넣었다. 봉투는 찢어지며 뜯겼다. 그 속에는 빳빳한 흰색 편지지가 담겼다. 아무런 무늬 없는 정직한 흰 종이였다. 큰 글씨로 주소가 하나 쓰였다. 다시 봐도 R의 손 글씨였다. 그 외에는 없었다. 다른 단서를 찾아 앞뒤로 뒤집어 보았지만 아무 것도 없었다. 혹여나 봉투 안에 열쇠나 카드를 놓쳤을까 살폈다. 그저 흰색 배경지에 쓰인 검은색 글씨뿐이었다. 이 주소는 어디일까. R이 의미 없는 편지를 보냈을 리 없다. 왠지 그곳에 가지 않으면 안 될 느낌이었다.

재개발이 한창인 신도시 중앙에 덩그러니 자리 잡은 건물은 흉흉한 공사 현장과 어울리지 않았다. 곳곳에 재개발을 반대한다는 현수막이 내걸렸지만 공사는 착실히 진행되었다. 신축 주상복합과 아파트 단지는 건설이 끝나 가림막을 치우고 있었다. 모든 것이 새로운 도시에 우뚝 선 건물은 오래되었지만 그 화려함을 잃지는 않아 더 쓸쓸해보였다. 건물 1층 로비에는 빼곡한 건물 안내가 있었다. 1

층부터 20층까지 패밀리 레스토랑을 비롯해 족히 50개가 넘는 점포가 있었지만 대부분의 간판에는 빨간색 페인트로 '폐업'이라고 쓰였다. 건물을 통틀어 남은 가게는 단 한 곳, 시계방만은 불을 켜고 착실히 하루하루를 새겼다.

시계방 문을 열자 맑은 종소리가 들렸다. 히터의 바람이 훅 불어 꿉꿉한 냄새가 풍겼다. 순간적으로 건조해진 바람에 피부는 빠르게 말랐다. 김치 냄새와 알코올 향, 체취가 뒤섞여 가벼운 역겨움을 선사했다. 조심스럽게 안을 살폈다. 한 노인이 안경에 돋보기를 붙이고 시계에 열중했다. 80대 중반 정도로 보였다. 늘어진 피부와 빠진 머리가 노인의 나이를 보여주었다. 노인은 사람이 찾아와도 고개를 들지 않았다. 질문이 많았다. 그러나 말 없는 노인과 벽에 걸린 시계들은 나에게 말했다. 기다리시오.

이내 노인이 자리에서 일어나는 소리가 들리자 나는 고개를 들었다. 노인은 내 모습을 보고도 놀란 기색 없이 옆을 지나더니 작은 냉장고에서 물병 하나를 꺼냈다. 목젖이 힘겹게 움직였다. 피부는 늘어지고 주름이 졌다. 목젖은 닭의 고기수염 같았다. 노인은 두 모금 정도 마시더니 물통을 내려놓았다. "자네는 누구인가"나 "무엇을 원하는가?"같은 질문을 예상했다. 그러나 노인은 그저 입을 다물고 창밖을 하릴없이 바라보았다. 내 시선도 노인을 따라 창밖으로 향했다. 오후 세 시. 별로 특별하지 않은 한산한 도로 위의 모습이었다. 이따금씩 버스가 압축 공기를 내뿜고 사이렌 소리와 수업이 끝난 학생들이 거리를 뛰어다니는 소리도 들렸다. 노인은 무엇을 보고 있을까. 생전 처음 보는 사람이 느닷없이 자신을 찾아온 이 상황을 곱씹으며 이해하는 과정일까. 어째서 내가 누구인지를 묻지 않을까. 신호등이 몇 번이고 바뀌어 차들이 가속 페달을 일제히 밟는 소리가 들렸다. 건물 바깥은 삶으로 가득했다. 노인은 죽음의 공간에서 삶의 공간으로 눈길을 주었다. 그 눈빛에는 어떤 부러움도 동경도 없었다. 한참 동안 침묵이 계속되었다. 그러더니 문득 생각났다는 듯이 노인은 운을 떼었다.

"어서 오십시오. 차 한 잔을 드시겠습니까?" 노인은 가벼운 미소를 띠며 물었다. 마치 귀신이 되어 한 동안 보이지 않다가 형체가 생겨난 느낌이었다.

"아니요. 괜찮습니다." 노인의 미소와 상냥하고도 또렷한 질문에 놀란 쪽은 나였다.

"사실 오실 것을 예상했습니다. 오래 전 한 사람이 제게 이야기를 해주었죠. 이 누추한 시계방까지 오는데 수고 많으셨습니다."

노인은 나를 예상했다. 하지만 나는 노인이 누군지, 어디서 왔는지 모른다. 아는 건 그가 시계공이라는 것과 나머지 가게는 전부 폐업한 철거 예정인 건물에서 시계방을 한다는 표면적인 사실 뿐이다.

"저를 예상하셨다고요? 제가 누구인지 아시나요?"

"질문이 많으시겠지만 천천히 이야기를 풀어 나가다보면 길이 보이실 겁니다. 제가 누구인지 그리고 누가 그 쪽을 소개시켜줬는지도 말이죠." 노인은 그 대목에서 쿡쿡 조용히 웃었다. 악의는 담기지 않은 순수한 웃음이었다.

"실례가 안 된다면 시계 하나만 차고와도 될까요?"

참으로 이상한 질문이었다. 의아함을 감추고 가볍게 고개를 끄덕이자 노인은 불편한 다리를 끌고 수리대 위에 놓인 시계로 향했다. 왼손에 시계를 올리더니 달각하는 소리와 함께 메탈 시계가 걸렸다. 별반 새로울 것이 없는 메탈 시계였다.

"시계에 집중을 하라는 의미는 아니었습니다." 노인은 마음을 읽은 듯이 이야기했다.

"그저 마음이 불안정할 때면 시계를 차고는 하거든요. 어렸을 때부터의 습관입니다. 불안과 두려움이 심장을 채우면 이 메탈 시계로 안정을 찾습니다. 메탈의 차가운 성분이 식히는 역할을 하는지는 모르겠지만 빠르게 뛰던 심장도 메탈 시계가 닿으면 어느 정도 누그러집니다. 일종의 토템 같은 것이지요."

노인은 불안하다고 말했다. 그 불안은 살인자를 자신의 터전 안으로 들인데서 오는 불안일까. 아니면 죽음의 향기가 급습했기 때문일까. 내가 와서 죽음의 향기가 풍기는지 죽음의 향기가 풍기는 곳에 내가 들어온 건지 그 순서를 알 수 없었다. 노인은 자신의 손목을 꺾어 내 눈앞으로 가까이 가져왔다. 그러고는 조용히 읊었다.

"시계란 참으로 매력적입니다. 아주 미세한 파츠(parts)들이 서로 연결되어 하나의 거대한 기능을 합니다. 시간을 알려주는 기능 외에도 시간을 측정하는 크로노그래프나 날짜를 알려주는 기능까지 말이에요. 태엽에 충전을 해놓으면 며칠이고 몇 주고 간에 지속됩니다. 시계를 뜯어보면 하나의 거대한 우주를 본다고 느껴요. 서로 다른 크기의, 서로 다른 개수의 톱니바퀴가 맞물려서 시간이라는 걸 정의하니까요." 노인은 이쯤에서 머뭇거렸다. 머릿속에서 신중하게 단어들을 꿰었다.

"가슴 속에 카오스가 있는 자만이 춤추는 별을 낳을 수 있다. 니체의 말이 딱 들어맞는다고나 할까요. 수많은 기어라는 혼돈이 시간이라는 별을 낳는 것이지요. 나이가 들면 불안해지는 순간이 많습니다. 이 나이를 먹고서도 알지 못하는 게 참으로 많다고 느끼거든요. 젊을 때는 새로운 시도를 하는 게 두렵지 않았지만 팔십 줄이 되면 체력이 안 따라줍니다. 제가 하는 이야기를 온전히 받아들이고 이해한다면 당신도 당신만의 토템이 필요할 겁니다." 노인은 소중한 듯 시계면을 엄지손가락으로 훑었다.

"사실 제게 예언이 있었습니다. 종교적인 사람은 아닙니다. 어렸을 때 부모님을 따라 교회를 몇 번 가고 흥미를 잃었죠. 그 뒤로 마르크스에 빠지면서 무신론자가 되었습니다. 무신론자에게 예언이 있다니 참으로 모순적이기는 합니다만, 분명 제게는 예언이 있었습니다.

스무 살 무렵에 길을 걷던 중, 어떤 길인지는 기억이 나지는 않습니다만, 맞은편에서 한 아이가 걸어오는 겁니다. 아마 지하철 역 앞이었던 것 같군요. 남자 아이인지 여자 아이인지 구분할 수 없을 정도로 아름다운 아이였습니다. 중성적이었다고나 할까요. 그 아이는 저와 눈이 마주치더니 팔을 붙잡고 말했습니다. 예순 번째 시간을 남자에게 맡기세요. 그러고는 홀연히 떠났습니다. 참으로 기묘한 말이라고 생각했습니다. 해석의 여지가 너무 많더군요. '기분 나쁜 말이로군.'하고 애써 아이의 말을 무시하려 했습니다. 처음에는 한 시간 후에 무슨 일이 일어난다고 생각했습니다. 하지만 아무런 일도 없더군요. 예순 살에 무슨 일이 있을까 싶었지만 그 마저도 아니었습니다. 말이 무서운 게 까먹고 있더라도 '예순'이라는 언급이 나오면 다시 아이의 말이 떠오릅니다. 그렇게 불안에 떨며 여든이 넘는 세월을 살아왔습니다. 다시 아이의 말이 떠오른 건 어젯밤 쉰다섯 번째 시계를 완성하고 예순 번째 시계를 만들기 시작할 때였습니다. 예순 번째 시계는 바로 이 시계입니다."

노인은 오른 검지를 들어 왼손에 차고 있는 시계를 가리켰다.

"사실 저는 아이의 말 대로 천천히 시간을 새기고 있었습니다. 일종의 예언을 수행한 것이죠. 마치 시계가 시간을 차근차근 새겨나가듯, 시지프스가 천천히 돌덩어리를 정상으로 밀어 올리듯 말이죠. 예순 번째 시계가 완성되기 직전에 당신은 이 시계방으로 들어섰습니다. 당장이라도 멈추고 싶었습니다. 어쩌면 모든 게 당장 끝날지도 모른다고 생각했습니다. 하지만 멈출 수가 없었습니다. 고개를 들어 얼굴을 보고 싶었지만 몸이 말을 듣지 않았습니다. 몸은 이미 예언을 따라서 시계를 완성했습니다."

아이는 누구였을까. 나를 이곳으로 이끌고 일곱 발의 총알을 쏠 것이라는 예언을 남긴 R이라는 확신이 들었다. 남자인지 여자인지 알 수 없게 중성적인 아름다움은 R의 큰 특징이었다. 그는 같은 방식으로 나에게나 노인에게나 예언을 남겼다. 예언은 마음속에서 항상 작용하였고 천천히 그 예언을 이루어나가고 있었다. 결국 나의 삶은 R에 의한 삶으로 귀결되는가. 모든 행동은 예언으로서 정해졌을까. R은 내가 일곱 발의 총알을 누구에게 쏠지 알고 있을까. 아니, 어쩌면 R이 정해 놓았을 수도 있다. 마치 이 노인을 만나게 한 것처럼. 노인은 내 표정을 읽더니 말했다.

"당신에게도 예언이 있었군요. 그렇죠? 아마 같은 사람이 아니었을까 싶습니다. 하지만 당신의 삶은 당신의 선택의 결과일 뿐, 예언의 결과는 아닙니다." 노인은 마음을 읽은 듯 말했다.

"어째서 그렇죠? 당신도 그렇고 나도 그렇고 예언이 그대로 들어맞는데요."

"아까 제가 '이야기를 온전히 받아들이고 이해한다면 당신도 당신만의 토템이 필요할 겁니다.'라고 한 말을 기억하시는지요. 이제부터 드릴 이야기는 평생을 거쳐 살면서 깨달은 진리입니다. 이 이야기는 세상을 바라보는 시선을 온전히 바꾸어 놓을 수도 있습니다." 노인은 확신에 가득 차서 이야기했다.

"아마 제 임무는 이 사실을 당신에게 알려주는 게 아닐까 싶습니다. 당신 인생의 일종의… 조연인거죠."

"한 지역에 토끼가 살고 있고 번식해서 두 배씩 증가한다고 해봅시다. 첫 해에 두 마리였으면 다음 해에는 네 마리이겠지요. 이 번식은 무한하지 않습니다. 먹이와 살 수 있는 면적이 한정적이기 때문이지요. 수가 늘어나면 사용할 수 있는 면적은 줄어듭니다. 먹이를 먹지 못한 토끼는 죽을 테고요. 서로 먹이를 차지하기 위해 싸우기도 하겠지요. 이때 먹이와 살 수 있는 면적 같은 요소들을 환경 변수라고 합니다. 자연은 이 환경 변수로 개체수를 조절합니다. 결국 개체수는 시간이 지남에 따라 최고점을 찍고 줄어듭니다. 뒤집어 놓은 종처럼 말입니다. 이걸 식으로 표현하면 rx(1-x)이 됩니다. 이제 r과 x에 값을 넣어 키우거나 줄이면 어느 순간에 값은 거의 비슷해집니다. 그건 토끼의 탄생과 죽음이 균형을 이뤘다는 뜻이죠. 이 값을 '균형값'이라고 합니다. r이 3을 넘어가는 순간 균형값은 두 개로 갈라지고 더 커지면 예측할 수 없습니다. 이게 로지스틱 수열이죠. 여기까지 따라오지 못해도 괜찮습니다. 그저 이론상의 이야기이고 토끼와 로지스틱 수열은 예시일 뿐이니까요. 핵심은 그게 아닙니다."

핵심은 초기의 미세한 값의 변화가 결과에 큰 영향을 미친다는 것이다. 그것이 카오스이다. 노인은 예언이 있고 나서 얼마 후, 카오스 이론을 접한다. 어느 날 세수를 하고 있는데 문득 수도꼭지에서 나오는 물의 흐름이 화장실의 습도, 온도에 따라서 예측할 수 없는 혼돈임을 깨닫는다. 완전히 동일한 파형의 물은 나올 수 없다. 노인은 그때의 경험을 자신의 '터닝 포인트'라고 표현한다. 회상하는 노인의 얼굴에는 당시의 기쁨이 묻어난다. 아직까지도 그 기쁨은 여든의 노인 안에 잠재해있다. 노인은 공부할수록 카오스가 학문 그 이상임을 깨닫는다. 카오스는 세상의 본질이며 삶은 혼돈이다. 우리 각자의 카오스는 타인의 카오스와 충돌하며 살아간다.

무언가 잘못된 선택을 했을 때 우리는 과거의 자신을 탓한다. 비단 물건의 색을 고르는 사소한 결정부터 인생의 중대한 결정까지 말이다. '그때 기회를 잡았더라면'이라는 후회는 '그 전에 여유가 있었더라면'이라는 후회를 낳는다. 담쟁이 넝쿨처럼 자라난 후회는 후회를 낳는다. 이 후회를 따라가다 보면 태초에 도달하고 자신의 부모를 만난다. 부모는, 자신들은 몰랐겠지만, 정확한 순간에 삽입하여 사정하였고 수정했다. 만약 그 시간이 조금이라도 늦거나 일렀다면 '나'라는 존재는 이 세상에 없을 수도, 아예 다른 존재가 되었을 수도 있다. 다시 말하면 몇 밀리 초 늦거나 이른 삽입과 사정, 수정이 결과에 지대한 영향을 미친다. 앞서 언급한 로지스틱 수열의 변수는 r과 x, 단 두 개이다. 세상은 무수히 많은 변수로 이루어져 있다. 삽입과 사정, 수정에 영향을 미치는 변수조차도 가늠할 수 없다. 페니스의 자극정도, 침실의 습도와 온도, 액의 분비 정도, 질의 길이 등이 그렇다. 삶은 이러한 변수들에 영향을 받는다. 즉, 카오스의 결과는 카오스의 변수이다. 다시 말하면 카오스의 결과가 카오스의 원인이며 그 원인은 다시 카오스라는 결과를 낳는다. 내가 이 노인을 만나 대화를 나누고 있는 것은, 평소라면 신경조차 쓰지 않았을 편지의 주소지로 향한 것은, 지역 우체부가 편지에 쓰인 주소대로 정확하게 배송을 한 것은, R이 편지 봉투에 우리 집 주소를 정확하게 기입한 것은 모두 카오스의 과정이자 결과이고 시작이다. 그렇기에 카오스는 시간과 공간을 초월한 다차원의 개념이다.

변수의 개수가 늘어난다는 건 차원이 증가한다는 의미이다. 인간은 네 개 이상의 변수를 이해하지 못한다. 카오스는 네 개 이상의 변수를 내포한다. 그럼에도 인류는 세상을, 카오스를 이해하려고 시도한다. 혼돈을 이해하기 위해 나름의 질서를 부여한다. 오랫동안 세상을 지배한 질서는 종교, 즉 신이다. 인간 이상의 창조주가 있다면 얼마나 간편한가. 모든 것은 신의 뜻이며 운명이라는 논리는 1차원적으로 세상을 바라보는 시각이다. 이 질서는 몇 세기에 걸쳐 관념을 지배했고 아직까지도 유효하다. 연인이 서로의 귀에 속삭이는 "우리는 만날 운명이었나봐"라는 말은 1차원의 질서이다. 세상은 의미 없는 우연으로 가득하다. 우연과 필연이라는 말에는 신의 뜻이 함축되어있다. 그러나 중세의 흑사병과 르네상스, 종교의 타락으로 1차원적인 사고관은 힘을 잃는다. 그때부터 과학이라는 두 번째 축이 2차원의 질서로 세상을 이해한다.

노인은 그런 세상의 카오스를 조금이라도 이해하기 위해 시계를 만들었다. 시계는 카오스를 한데 담아놓은 집합체이다. 천체의 이동이라는 거대한 혼돈을 손목 위에서 작동하는 작은 기계를 만드는 행위에서 예술성을 느꼈다.

"결국 예순 번째 시계를 만든 건 아이의 예언이 아니라 혼돈의 결과이자 과정입니다. 예언은 혼돈을 해석하기 위한 하나의 질서에 불과합니다. 당신에게도 예언이 있었겠지요. 그 예언은 예언이기에 작용하는 게 아니라 혼돈과 함께 숨 쉬며 살아갑니다. 다시 말하자면, 그 예언이, 말 한마디가 당신의 경향성을 바꿔놓은 것이죠." 노인은 숨을 고르고 한숨을 내쉬었다.

결국 내가 이 노인을 만난 것은 우연도 필연도 아닌 카오스의 결과이다. 지금 대화를 나누고 있는 이 순간에도 노인은 내가 가진 변수에, 나는 노인이 가진 변수에 카오스 값을 끊임없이 밀어 넣고 있다. 이 값이 어떤 결과를 낳을지는 가늠조차 할 수 없다. 하나의 질문이 한 번 내쉰 숨이 나와 타인, 세상을 어떻게 바꿀지 모른다.

순간 숨이 막혀온다. 주변의 혼돈은 막대하며 세상 모두가 카오스이다. 코로 숨을 천천히 내쉬고 깊이 들이쉬기를 반복해본다. 그런 나를 보며 노인은 천천히 말을 음미하며 뱉는다.

"그래도 춤추는 별 하나는 낳을 수 있지 않을까요."

노인은 다시 입을 굳게 닫고 고개를 들어 창밖을 바라보았다. 말끝이 가늘게 방을 떠다녔다. 노인의 모습은 대화를 나누기 전과 완전히 동일했다. 노인이 대화를 하며 잠시 동안 가졌던 생기는, 스무살의 유레카는 말끝과 함께 서서히 소실되었다. 방금까지 대화를 나누었는지 의심스러웠다. 마치 한 주기를 마친 장난감 로봇처럼 노인은 자신의 말을 마치고 절전 상태에 놓였다. 주변의 카오스가 내는 소리 때문에 귀가 터질 듯 했다. 당장이라도 귀를 막고 싶지만 막는다고 한 들 소리가 멈추지는 않는다. 그 행동조차도 카오스의 일부이기 때문이다. 순간 냄새가 생경하게 다가왔다. 죽음의 냄새였다. 이 노인은 내가 문을 열고 들어선 순간부터 죽은 것과 다름이 없었다. 알싸한 김치 냄새와 알코올, 체취의 혼합은 시체를 쓸어가는 지하철의 모습을 떠올리게 했다.

노인은 말을 마치고는 천천히 일어나 한 쪽에 놓인 간이침대로 향했다. 불편한 다리를 끌고 불균형하게 이동하는 모습은 곧 무너질 탑처럼 보였다. 간이침대에 걸터앉은 노인은 양 손으로 다리를 들어 침대 위로 올려 누웠다.

"전 많은 사람들을 죽였습니다. 예언 때문에요. 당신이 예순 번째 시계 제작을 멈출 수 없었듯, 저는 살인을 멈출 수 없었습니다."

"당신이 그 예언을 수행했던 이유는 비단 예언이기 때문이 아닙니다. 어쩌면 그저 일어날 일이 일어난 걸 수도 있습니다" 노인은 평온하게 말했다.

살인을 저지른 이유는 무엇인가. 내 삶에 리볼버가 등장했기 때문인가. 체호프의 작법을 따라가기 때문인가. 아니다. 처음에 살인의 목적은 좀 더 나은 세상을 만들기 위해서였다. 잉여인간의 제거. 그것이 목적이었다. 그러나 어느 순간 예언만이 남았고 그 예언을 따라 움직였다. 세상이 이래서는 안 된다는 분노와 혐오, 인간적인 믿음은 송두리째 사라졌다. 의지나 의도는 상실되었고 남은 건 행위 그 자체로써의 살인이었다. 그저 충실히 그 행위를 해 나아갈 뿐이었다. 시계에게는 의도가 없다. 인간이 만든 대로 충실히 시간을 기록할 뿐이다. 서로 다른 크기의 기어와 기어가 만나 인간이 정의한 1초를 정의하고 60분을 기록하며 하루를 채운다. 지금 나의 모습은 시계와 다르지 않았다. 어쩌면 인간은 시계와 다르지 않을지도 모른다. 반복되는 살인과 소멸되는 삶들을 보며 남은 건 결국 기계적으로 살인이라는 노동을 반복하는 스스로의 모습뿐이었다.

몸은 의식의 관할에서 벗어나 살인 도구를 찾아 움직였다. 의지가 담기지 않은 반사적인 행동이었다. 나는 몸에 갇혀 그저 몸이 이끄는 대로 관망한다. 예언은 언제나 거기에 있었고 이제는 그 예언을 따라서 움직이는 몸이 되었다. 실질적으로 내가 조종하지 않는 신체는 작업대에 놓인 칼을 집어 들었다. 끝이 꽤 날카로웠다. 아무런 망설임 없이 노인의 후두부를 왼손으로 잡고 목을 찔렀다. 순식간에 일어난 일이었다. 노인은 컥컥대며 간이침대에 쓰러졌다. 놀란 표정도 잠시, 힘이 빠졌다. 그러나 내가 한 행동이라는 인식조차 없었다. 팔에 충격만 남았을 뿐이었다. 행동을 마치고 멍하니 간이침대를 바라보았다. 부르르 떨던 노인은 진동을 멈췄다. 눈이 뒤집어지고 목에서 피가 서서히 흘렀다. 혈액과 함께 뿜어지던 매운 죽음의 냄새는 사라졌고 따뜻한 혈액 냄새만이 공간을 메웠다. 조금씩 그러나 착실히 뿜어져 나오는 혈액을 한동안 바라볼 뿐이었다.

그렇게 여섯 번째 총알을 격발했다. 몸은 서서히 다시 의식의 지배 아래에 놓였다. '네가 못하는 일을 했으니 뒤처리해' 라는 식으로 지배권을 넘겨받았다. 뒤처리를 해야 한다는 생각이 뇌리에 꽂혔지만 애써 그러지 않았다. 그러고 싶지 않았다. 가뜩이나 우발적이었고, 뒤처리 계획은 세우지 않았다. 게다가 외딴 교외에 있는 철거 직전의 건물에 올 사람이 얼마나 있겠는가. 아마 이 노인의 죽음은 며칠, 아니 몇 주가 지나서야 밝혀질 테다. 뒤처리를 하지 않은 이유는 이런 단순한 이유 때문이 아니었다. 내 시간이 얼마 남지 않았음을 본능적으로 알았고 더 이상 무언가에 얽매이고 싶지 않았다. 이를 테면 예언이나 R, 노인의 시체나 살인 등에 말이다.

나의 오래된 친구에게.

당신에게 편지를 쓴다는 게 처음 있는 일이고 이 편지를 받을 때쯤이면 끝을 향한다는 사실이 비통하면서도 한편으로는 후련합니다. 우리 사이에 남사스럽게 무슨 편지냐고 하면 닭살이 돋지만 남기고 싶은 말을 전할 수 있는 최선의 방식이라고 생각합니다. 글은 몇 번이고 곱씹어 읽을 수 있고 그 의미를 제대로 음미할 수 있기 때문입니다. 이 편지는 퇴고 없이 생각나는 대로 쓰는 글입니다. 두서가 없더라도 이해해주길 바랍니다.

십 수 년 전에 죽은 R로부터의 편지에 적잖이 놀랐을 줄 압니다. 어쩌면 제가 살아 있다고 생각을 할지도 모르겠군요. 사실은 죽은 척, 세상에서 사라진 척 연기하고 있다고 말입니다. 만약 이 편지가 R의 생존에 대한 희망의 불씨를 지폈다면 미안합니다. 당신이 기억하고 있는 바에 따라 저는 스스로를 철저히 살해했으며 더 이상 이 세상 사람이 아닙니다. 이 편지는 제가 죽기 전 손수 당신에게 보내는 편지입니다. 편지가 늦지 않게 도착하기를 바랄 뿐입니다. 당신도 당신 나름대로의 일정에 따라 움직이니까요.

저는 거실 중앙에서 목을 메고 죽습니다. 명백한 자살로 우발적인 선택은 아닙니다. 오랜 기간 계획을 세운 묵시록스러운 자살입니다. 당신에게 고백해야 할 한 가지가 있습니다.

당신이 여덟 살 무렵, 지하철역에서 죽음을 마주합니다. 바로 그 자리에 저도 있었습니다. 맞은편 플랫폼에서 우리는 눈을 마주쳤습니다. 당신은 매료된 듯 저를 바라보았죠. 그때 계단에서 취객이 비틀거리며 내려왔고 한참 소란이 벌어집니다. 지하철은 급히 정차했고, 역은 기름지고 매운 냄새로 가득 찼습니다. 그때 저는 한 능력을 얻었습니다.

그때 이후 저는 다른 사람들과는 조금 다르게 시간을 경험합니다. 테이프를 빨리 감거나 거꾸로 재생하는 것처럼 세상을 보는 관점을 바꿀 수 있습니다. 제가 열여섯 살에 죽은 건 사실이지만 실질적으로는 그렇지 않습니다. 물리계 내의 시간으로 셈했을 때는 16년이겠지만 R계에서의(제가 셈하는 계를 R계라고 부른다면) 시간은 무한에 가깝습니다. 각각의 가능성을 따라 이런 세계와 저런 세계를 오가며 살았습니다. 제대로 된 2차 성징이 나타나지 않고 중성적인 모습은 시간 인식에 대한 특수성 때문일 겁니다.

수많은 세계를 오가며 배운 한 가지 사실이 있습니다. 일어날 일은 반드시 일어납니다. 시간을 선형적으로 경험하면 이 사실을 깨달을 수 없습니다. 수많은 세계를 동시에 둘러보아야 항상 벌어지는 동일한 일들을 설명할 수 있습니다. 그 사건들은 어떤 세계에서나 벌어지기 때문입니다. 제 인생에서는 두 가지 일이 반드시 벌어집니다. 첫째는 자살입니다. 어떤 행위를 하던지 저는 제 스스로 목숨을 끊는 결말에 도달하더군요. 마치 정해진 것처럼 어느 순간에 당연하다는 듯이 말이죠. 두 번째는 당신입니다. 당신과의 만남은 어느 세계에서나 동일합니다. 지하철역에서의 유쾌하지 않은 만남. 당신은 어떤 선택을 하든지 R이라는 존재를 피할 수 없습니다. 의

도적으로 피하거나 멀어져보았지만 알아차릴 순간도 없이 당신은 제 주변에 있습니다.

당신과 제가 이어진 데에는 분명 이유가 있을 겁니다. 그래서 나름의 가설을 세워보았습니다. 지하철역에서 죽음의 냄새를 맡는 순간 말로 표현할 수 없는 묘한 쾌감이 전해졌습니다. 그 감각은 배뇨감과 함께 불안, 떨림을 포함하는 복합적인 느낌이었습니다. 당시에는 그 쾌감이 시각적 충격 때문에 느낀 비정상적인 감각이라고 여겼습니다. 혹은 능력이 생긴 데에 대한 부작용 정도로 치부했습니다. 이 오묘한 감각은, 나중에 알게 되었지만, 오르가즘과 같았습니다. 즉, 지하철 사고에서 취객의 위에 담긴 모든 음식물이 터져 나오는 순간에 모종의 오르가즘을 느꼈고 시간을 조작하는 능력을 얻었습니다. 하지만 오르가즘과 능력은 서로 다른 사건이라고 생각합니다. 명백한 증거는 없지만 본능이 이야기해줍니다. 제가 제시할 가설은 다음과 같습니다:

저, R은 당신의 어린 시절입니다. 반대로 말하자면, 당신은 R의 미래입니다. 물론 이는 제 개인적인 생각에 지나지 않고 스스로의 어린 시절을 타자로서 만날 수 있을 가능성은 제로라는 사실을 알고 있습니다. 하지만 상식의 범위를 조금만 벗어나면 이해가 아주 안 되지는 않습니다. 지하철역에서 경험한 죽음의 순간, 당신은 R 안으로 들어왔고 R은 오르가즘을 느끼며 당신을 복제합니다. 우리가 서로에게 본능적인 끌림이 있었던 건 제가 당신의 복제이기 때문이 아닐까요.

한 가지 증거가 더 있습니다. 능력이 생긴 여덟 살 때부터 자살 직전의 열여섯 살까지는 수많은 세계에서 다양한 체험을 하며 살았습니다. 하지만 자살 이후에는 당신 속에서 세상을 바라보며 살아갑니다. 마치 영화 <존 말코비치되기>에서처럼 당신의 눈과 감각기관을 통해 세상을 바라봅니다. 당신이 깨어있는 동안은 제가 당신을 조종하지 못합니다. 제 생각은 항상 꿈의 형태로 나타나지만 당신은 그 꿈을 대부분 기억하지 못하더군요. 당신은 당신 속의 저를 "예언"의 형태로 이해했습니다. 가설에 대한 증거가 빈약할 뿐만 아니라 논리성도 떨어집니다. 하지만 제가 당신의 어린 시절이라는 확신은 마치 달이 거기에 있는 것을 굳이 확인하지 않아도 알 듯 명백한 증거 없이도 분명합니다.

이제, 일곱 발의 총알에 관한 이야기를 해봅시다. 일곱 번의 살인은 당신 삶에서 반드시 일어날 부분이었습니다. 어떤 형태로든 말이죠. 제가 제안한 일곱 발의 총알은 결국 당신이 저지를 일곱 건의 살인을 합리적으로 받아들이도록 하기 위함입니다. 계기가 없는 살인을, 불가결적으로 행해지는 살인을 쉽게 받아들일 수 없으니까요.

당신이 쏠 일곱 발의 총알은 전부 당신과 저를 향한 총알입니다. 다시 말하면, 당신이 살해할 일곱 명의 인물이 느낀 고통은 전부 제가 느낄 고통입니다. 당신이 피살자의 살점을 모두 바르면 제 살점도 전부 떨어져 나가고, 질소를 이용해 안락사를 시키면 저 또한 조용하고 평온한 죽음을 맞습니다. 물론 당신은 이 사실을 알지도 이해하지도 못할 겁니다. R은 분명 죽었고 이 세상 사람이 아니기 때문입니다. 하지만 저는 언제나 당신이 이야기하는 '예언'의 형태로서 함께합니다.

당신과 함께하며 느낀 일곱 번의 죽음은 고통스럽습니다. 당신은 방아쇠를 당기면서 피살자와 같은 수준의 통각을 느끼고 그 만큼 고통스러워하더군요. '본 투 비 킬러(Born to-be Killer)'는 아닌 모양입니다. 냉철하게 죽인다고 생각했지만 밤새 악몽에 시달리고 살인 후에는 피로에 며칠이고 잠에 허덕이는 모습이 안쓰러우면서도 인간적이라 느꼈습니다. 철저히 저를 위한 살인이라는 느낌에 죄책감을 느끼기도 했고요. 하지만 그럼에도 당신은 일곱 번 방아쇠를 당겨야 했습니다. 반드시 행해야하는 과업처럼 말이죠. 거대한 독수리와 맹렬하게 싸우는 사자처럼 그리고 당신의 어린 시절의 저를 차근히 그러나 잔혹하게 파괴하는 과정입니다.

당신의 꿈속을 들여다보면 이따금씩 놀랄 때가 있습니다. 당신은 지독히도 당신 안에 내제한 아이를 향한 공포가 있더군요. 그런 모습을 볼 때면 서글퍼집니다. 당신이 당한 외부의 폭력과 학대는 결국 어린 시절의 자기 자신을 향한 폭력과 학대로 남았다는 뜻이기 때문입니다. 당신이 싫어하는, 남을 향한 폭력을 당신 스스로도 행하고 있었기 때문입니다. 당신이 죽인 아스모데우스를 비롯한 네 명의 인물은 당신 내면의 폭력적이고 권위적인 면을 의미하고 트럼페터와 노인은 자기 파괴적인 면입니다. 안타까운 사실이지만 당신은 당신을 사랑하지 못하니까 말이죠.

전 당신이 어떤 결말을 내릴지 알고 있습니다. 당신은 자살할 겁니다. 일곱 번째 총알은 당신의 몸을 관통합니다. 그로써 당신의 과업은 완성됩니다. 당신은 "일곱 발의 총알이 있다면 누구에게 쏘겠는가?"라는 질문을 받은 순간부터 마지막 발은 당신을 향해야 한다고 정했습니다. 당신이 죽고 난 후에는 무언가가 기다립니다.

마지막으로 한 가지 이야기를 들려 드리고자 합니다. 당신은 노인을 죽이고 혼돈이 가득한 세상 속에서 할 수 있는 일은 없다는 무력을 느낄 겁니다. 하지만 삶은 그렇지 않습니다. 당신은 단지 혼돈을 키우는 변수에 불과하지 않습니다. 당신에게는 경향성이라는 길이 있습니다. 마치 안개가 가득 낀 날씨 속 비행장의 유도등처럼 당신은 당신의 길을 개척해 나갑니다. 그 길은 기존에 당신이 축적한 정보와 선택, 판단을 바탕으로 합니다. 어린 시절의 경험과 읽은 책, 본 영화 등은 한 사람을 정의하고 혼돈 속에서 비슷한 선택을 해 나갑니다. 지금의 당신을 만든 건 당신의 어린 시절, R입니다.

P.S. 지금 이 순간에도 수 십 년 전에 스스로 목숨을 끊은 R은 당신과 함께합니다. 당신의 생각과 판단에 개입하지는 못하지만 당신의 삶을 따릅니다.

당신의 어린 천사, R로 부터.

죽음보다 더 아름다운 것은 일어날 수 없다

아무런 이유 없이 갑작스럽게 한 단어가 머릿속을 부유하는 순간이 있다. 그런 단어들은 아무런 맥락이 없어서 의미를 상실한 채로 머리를 가득 메운다. '분명 어딘가에서 들어본 말인데'라는 의문만 남긴 채로. 그 의문은 생각을 속박한다. 우리의 머릿속은 영원히 청소해도 치울 수 없는 방과 같다. 지금 이 순간에도 모든 기억은 저장되지만 중요하지 않은 정보는 그늘진 침대 밑으로 들어간다. 기억은 지워지지 않는다. 그저 색이 옅어질 뿐이다. 그렇기 때문에 당신은 아무리 노력해도 지우고 싶은 기억을 지우지 못한다. 지우고 싶은 기억은 대개 강렬하고 불쾌한 기억인데, 잊으려 할수록 색채가 더해지기 때문이다. 그럼에도 내게는 완전히 극복해서 거의 사라진 기억이 있다. 철저히 내 힘만으로 장면 하나하나를 지워나갔다. 물론 흉터는 남아있다. 그러나 그 흉터는 스스로의 힘으로 극복했다는 영광의 상처이고, 더 이상 나를 속박하지 못한다.

어느 날 기억의 흉터를 더듬는 순간에 그 흉터가 송두리째 사라졌다는 사실을 깨달았다. 분명 있어야 할 자리에 흉터가 없다. 오랜 시간이 지나서 사라졌나 했지만 분명 그건 아니었다. 그 기억은 삶에서 온전히 증발했다. 고통스럽게 기억을 지웠던 과정은 있는데 그게 어떤 기억인지 떠올릴 수 없었다. 인생에서 특정한 순간이 송두리째 날아간 것이다. 고통스러운 기억의 상실이 행복감이나 안도감을 줄 것이라 믿었다. 그러나 실제로는 허망하다. 가슴 속에 바람이 지나가 주변 살을 엤다. 그토록 지우고 싶은 기억이었는데 막상 그 기억이 사라지니 나라는 존재가 온전히 서 있을 수 없었다.

R이 죽은 후에는 그 기억을 돌아본 일이 없었다. 다시 그 흉터를 만져볼 엄두가 나지 않았다. 있어야할 곳에 있어야하는 흉터가 사라진 충격을 다시 느끼고 싶지 않았다. 어쩌면 그 텅 빈 어린 시절의 기억을 살인으로 채우려 한지도 모른다.

R의 편지는 상식의 선에서 이해할 수 없는 말들이 많았다. R은 여덟 살 때 내가 마주한 첫 죽음의 순간에 함께했다. 어렴풋이 맞은 편 아이의 얼굴이 떠오르기도 하지만 오래된 기억이라 명확하지는 않다. 죽음의 냄새를 들이쉰 R은 시간을 테이프 돌리듯 조작할 수 있는 능력을 얻었다. 여덟 살부터 열여섯 살까지 R은 항상 내 옆에 있었고 열여섯에 자살하고 나서는 내 안에 예언의 형태로 살아갔다. 그리고 R은 내 죽음이 임박한 순간 수많은 미래를 보고 (물론 R계에서는 미래가 아니겠지만) 편지를 썼다. R은 내 어린 시절이고 나와 함께했다. R의 가설은, 어디까지나 가설이지만, 나름 그럴 듯한 증거를 남겼다. 가장 명백한 증거는 R의 편지를 읽는 동안 사라졌던 흉터의 자리에서 다시 피가 터져 나왔다는 것이다. 찡하는 소리가 귀를 스쳤다. 그리고 기억의 파편이 물밀듯 밀려왔다.

아이가 웃으며 그림을 자랑스럽게 중년의 여성에게 내보인다. 여성의 표정은 좋지 않다. 아이는 여성의 눈치를 살핀다. 그림이 잘못되었을까? 무슨 잘못을 했던가? 아무리 생각해보아도 떠오르지 않는다. 순간 여성의 인중에 주름이 지고 화가 난 표정으로 바뀐다. 여성은 그림을 찢기 시작한다. 아이는 당황스럽다. 무엇이 문제일까. 그림을 너무 못 그렸나? 색깔이 마음에 들지 않았나? 아이의 표정이 굳는다. 웃음기는 사라졌고 공포가 떠오른다. 갈기갈기 찢어진 종이를 한 주먹으로 집은 여성은 아이에게 뿌린다. 종이가 흩날리며 아이를 뒤덮는다. 아이는 당혹스럽다.

얼굴로 손이 날아든다. 아무 말도 하지 않는다. 묻지도 않는다. 손찌검을 반복할 뿐이다. 영문을 모른 채로 맞고만 있다. 눈에서 눈물이 흐르지만 이를 악물어 참는다. 울음은 화를 돋운다. 아파서, 억울해서 흘리는 눈물은 그들에게는 그저 순간을 모면하기 위한 수단으로 보일뿐이다. 더 맞을 바에는 울음을 참는 게 낫다. 아이는 자신의 상황을 이해할 수 없었다.

강력한 폭력 앞에서 아이는 살아남기 위해 스스로를 매장했다. 그 대신 착한 아이의 두꺼운 가면을 썼다. 살아남기 위해 애교를 부렸고 눈치를 보았다. 아이에게 부모는 세상의 전부이다. 세상이 무너지는 걸 막기 위해 아이는 웃었다. 아이는 죽은 본질을 가슴 깊이 묻어두었다. 그곳에는 반항과 욕구, 슬픔과 분노도 함께 담았다. 어른들은 아이를 위험한 세상으로부터 지킨다는 일념 하에 온실에 가뒀다. 순응한 아이는 몸이 커지더라도 유리 너머로 세상을 바라보았다. 점점 세상에 대한 환상과 이상을 품었다. 온실 안에 있기 위해서는 스스로의 욕구를 파괴해야했다. 성인이 되어 온실 바깥으로 나올 때 온실 문이 열려있음에도 선뜻 발을 떼지 못했다. 폭력이 쏟아지지 않을까 걱정하며 안에 있기를 고수했다. 마지못해 나온 세상은 온실 속에서 바라본 세상과는 달랐다. 비열하고 정의롭지 못하며 춥고 더러웠다. 아이는 자신이 알던 세상과의 괴리감으로 실망했다. 정의롭고 평등한 사회를 위해 마르크스를 읽고 레닌에 심취했다. 문학부터 과학, 역사, 사회, 정치 분야에 이르기까지 가리지 않고 탐독했다. 자연스럽게 지식에 대한 강박이 생기고 스스로와 대화하기 시작했다. 친구나 부모님과 이야기하는 것보다 안전하고 재미있었다. 대화를 하며 깨닫는 정보들도 정리되는 생각들도 많았다. 목소리는 어금니 너머로 들렸고 몸 안을 울렸다. 마치 하나의 거대한 통 안에서 소리를 지른 것처럼, 엄숙한 성당에서 큰 목소리로 말하는 것처럼 목소리는 어금니를 지나 귀로 나아갔다. 어금니는 가상의 진동을 느꼈고 가상의 진동은 달팽이관을 울리지 않고도 소리로 인식되었다. 이 과정으로 내 안의 신념과 정의, 믿음이 더 나은 정답을 찾아냈다. 물론 내면의 대화 상대는 R이었다.

나는 내게 주어신 일곱 발의 총알 중 여섯 발을 쏘아 행동했다. 총알을 쏘는 행위 자체가 내 손으로 살해당한 사람들은 거창한 대의를 위한다고 생각했다. 그러나 지금 돌이켜보면 살인은 나 자신과 R을 향한 총알이었다. 아스모데우스는 울음을 멈추지 않는 떼쓰는 아이였고, 트럼페터는 호기심과 욕구, 지향을 잃은 아이였다. 노인은 변하지 않는 사회에 분개하지만 아무 일도 할 수 없는 늙은 나였다. 나는 그들을 참지 못하고 죽였다. 아니, 나는 나를 참지 못하고 살해했다. 그렇기에 마지막 한 발은 반드시 내 턱을 통과해 간뇌와 대뇌, 후두엽을 지나 두개골을 깨뜨리고 나아가야한다. 나는 나를 궁극적으로 파괴할 것이다.

다만, 아직 살해 방법을 정하지 못했다. 어쩌면 본능이 막고 있는지도 모른다. 생명에게 스스로를 죽이는 시스템은 존재하지 않기 때문이다. 나는 그저 소멸하고 싶다. 어느 날, 누군가 문득 나의 부재를 깨달았을 때 비로소 죽음을 인식했으면 좋겠다. 아무도 모르는 사이에 사라지고 싶다. 목숨을 끊는 행위가 이토록 힘든지 새삼 깨닫는다. 책을 읽는 순간에도 일상을 살아가는 순간에도 삶보다는 죽음을 떠올렸다. 마치 어려운 수학 문제를 푸는 기분이다. 문제 속에서 조건을 모두 찾았지만 더 이상 할 수 있는 게 없다. 방법을 알지만 그 방법들을 이어 연결하는 과정을 모르겠다. 나다운 죽음이 무엇일까. 스스로를 거창하게 생각하는 탓일까. 여섯 건의 살인과는 달라야한다는 강박 때문일까. 몇 가지 가능성을 생각해 보았다. 할복은 좋은 예시가 될 수 있다.

영화를 보면 천황에 대한 충성을 다짐하며 배에 단도를 꽂아 넣고 쓰러져 죽는 장면이 나온다. 이는 미디어가 만들어낸 환상적인 죽음이다. 배에는 지방이 많다. 칼이 원하는 방향으로 꽂히지 않을 확률이 높다. 배에 칼을 잘 꽂아 넣으면 과다출혈이 발생한다. 피가 빠져나가 몸은 으슬으슬 떨리고 핏기가 사라지다가 서서히 오랜 시간 고통 받는다. 목숨을 실질적으로 끊는 건 옆에서 목을 내리치는 카이사쿠의 역할이다. 카이사쿠가 얼마나 잘 쳐주느냐에 따라 고통의 수준이 달라진다.

일본의 극우 소설가 미시마 유키오는 자위대의 궐기를 주장하는 연설 후 할복 퍼포먼스를 준비한다. 미시마는 연설을 마친다. 단도를 빼들어 배에 찔러 넣는다. 카이사쿠에게는 흘러나온 피로 유서를 쓸 테니 기다리라고 한다. 단도는 복부 지방을 뚫고 내장으로 들어갔다. 고통은 말로 표현할 수 없다. 후회가 밀려오지만 살려달라는 것도 이상하다. 갈라진 배 속으로 손을 넣어 내장을 잡는다. 혀를 씹어 고통을 참아본다. 보다 못한 카이사쿠가 목을 내려친다. 그러나 칼이 무딘 탓에 두 번이나 실패한다. 두 번째 칼날은 목의 절반을 베었다. 목과 배에서 피가 쏟아진다. 바닥은 유혈이 낭자하고 미시마의 옷은 전부 피로 물든다. 할복은 천황에게 목숨을 바치는 낭만적인 죽음이 아니다. 추접스럽고 망측하기 짝이 없는 죽음이다. 나답지 않다. 담백하고 깔끔하게 끝나야한다.

남에게 피해를 주지 않고 최대한 조용히 소멸할 수 있는 방법을 구상한다. 번뜩, R의 편지가 떠오른다. R은 편지에 "저는 거실 중앙에서 목을 매고 죽습니다."라고 썼다. R이 내 과거이자 미래라면 그것이 답이다. 교수형 말고는 떠오르지 않는다. 6명을 죽인 살인사에게 어울리는 방식이다. 목을 매는 죽음은 장점이 많다. 다른 사람이 죽음을 발견하기까지 오랜 시간이 걸린다. 아마 가스검침원이나 잘못 배달 온 택배 기사 정도가 발견할 수 있으리라. 무엇보다 조용하고 깔끔하다는게 마음에 들었다. 순간 구름에 가렸던 태양빛이 창문으로 들이쳤다. 밝은 빛이 포근함을 더했고, 교수형에 확신을 주었다. 문득 집 안을 둘러본다. 밝은 아이보리 색상의 장판과 흰색의 벽이 통창으로 들이치는 태양빛과 어우러져 포근함을 자아낸다. 정갈하고 정돈된 순백의 집과 잘 어울리는 풍경이다. 집 안은 검은색 TV와 초록색 아가베를 제외하고는 새하얗다. 마치 아가베가 모든 색채를 앗아간 느낌이다. 미니멀하고 꾸밈없이 깔끔한 집과 거실 중앙에서 목을 맨 살인자. 데이비드 호크니가 그린 그림같이 밝고 고요하다. <Gymnopédie No.1>이 어울리는 풍경이다. 더 이상 이상적이고 아름다운 죽음일 수 없다. 아름다운 그림을 완성하기 위해서는 너무 굵지도, 얇지도 않은 밧줄이 필요하다. 얇거나 굵으면 고통만 심하고 죽지 못한다.

인간의 삶을 풍요로움과 동시에 비참하게 만드는 요소는 의미 부여이다. 아무것도 아닌 하루에 의미를 부여하여 즐기기도 하고 알 수 없는 소리나 현상에 의미를 담아 혼백을 기리기도 한다. 이런 의미부여는 좋은 결과를 낳지만 죽는 순간의 의미부여는 비참하기 짝이 없다. 죽기로 마음먹은 순간 마지막이라는 의미부여가 괴롭힌다. 삶의 미련이 아니다. 생명을 지키려는 본능이 개입한 것이다. 마지막으로 영화 한 편을 보기로 했다. 그것조차 고르는데 한참이 걸릴게 뻔하다. TV에서 방영해주는 아무 영화를 골랐다. <노인을 위한 나라는 없다>. 다른 채널을 살피지 않았다.

남자는 의자에 앉아 여자를 기다린다. 현관을 들어온 여자는 직감적으로 침입자를 느낀다. 도망가지 않는다. 남자친구가 자신에게 어머니를 모시고 도망가라고 할 때부터 예상했던 순간이다. 다음 장면, 과장될 정도로 거대한 집 앞에 작은 남자가 걸어 나온다. 신발 밑창을 살핀다. 그것으로 되었다. 남자는 여자를 죽였다. 말을 많이

하지 않아도, 잔인하게 살해된 여성을 보이지 않아도 된다. 사이코패스 살인자는 아무렇지 않게 자동차를 타고 빠져나간다. 평안하게 운전하던 살인자의 차에 추돌 사고가 발생한다. 거대한 트럭은 차를 부순다. 수많은 살인을 저지른 그는 죽음이 이렇게 올 것이라 예상했을까. 죽음은 예기치 못하게 배송된다. 팔꿈치 너머로 부러진 뼈가 보인다. 주변에서 자전거를 타던 아이가 다가온다. 남자는 비싼 돈을 주고 아이의 윗옷을 산다. 봤다는 말을 하지 말라고 한다. 유유히 현장을 벗어난다. 페이드 아웃. 형사는 자신의 삼촌 트레일러에 들어간다. 다리를 움직이지 못하는 노인은 자리에 앉아 눈을 감은 채 누구냐고 소리친다. 집 안에는 수많은 고양이들이 있다. 형사는 삼촌과 대화를 나누다가 꿈에 대한 묘사로 깨어났다는 말과 함께 영화는 끝이 난다.

오묘한 토미 리 존스의 표정이 머릿속에 남는다. 슬픔, 우울, 체념, 무력, 처연함이 묻어있다. 새로운 세대라는 쓰나미 수준의 파도 앞에서 노인은 무력하다. 오랜 시간을 들여 생명에 대한 존경을 내포하던 소 도축은 이제 케틀건의 압축 공기가 쏘는 나사만으로 끝이 난다. 살인자 안톤 쉬거는 노인들에게 다가오는 세상이다. 혼돈 그 자체를 상징하는 안톤 쉬거는 다음을 예상할 수 없다. 그저 타겟만을 바라보고 사냥한다. 그러다 갑자기 다가오는 죽음까지. 거대한 영화사 로고와 함께 영화가 끝나고 TV의 전원을 껐다. TV에 앉은 스스로의 모습이 뭉쳐지듯 비쳤다. 한참 동안 뭉개진 형체를 들여다보았다. 자리 옆에 놓인 밧줄을 손으로 어루만졌다. 남색의 줄은 거칠었다. 꽤나 섬세히 땋여있지만 거침의 정도는 있었다.

밧줄의 반대쪽을 전등 틀에다가 묶어 높이를 확인한다. 체중을 실어 떨어지는 지도 확인해본다. 불안하기는 하지만 체중 정도는 버틴다. 교수형에는 두 가지 방법이 있다. 아래 공간이 확보된다면 사형 집행인이 밑을 개방해서 순간적인 충격으로 목뼈를 부러뜨리는 롱-드롭 방식과 높이가 확보되지 않았을 때 질식시키는 숏-드롭이다. 자살의 경우 대부분이 숏-드롭이다. 7초 정도면 경동맥 차단으로 기절하고 2-3분 정도 지나면 뇌사 상태에 도달한다. 숨이 안 쉬어지는 7초면 충분하다. 오디오에서 음악을 고른다. 쇼스타코비치 왈츠 2번. 흥겹고 경쾌한 왈츠는 내 삶을 함축한다.

목을 매듭 안으로 집어넣는다. 목에 닿기만 했는데도 벌써 숨이 막힐 지경이다. 의자가 엎어지는 상상을 한다. 목에 밧줄이 걸린 채로 축 늘어져 흔들린다. 7초 동안의 몸부림. 잠깐이면 된다. 밧줄을 조절해 목에 맞게 맞춘다. 벌써부터 헛구역질이 올라오지만 밀어누른다. 밧줄의 까칠함이 목을 타고 느껴진다. 여섯 명을 죽인 살인자 하나가 없어져도 세상은 바뀌지 않는다. 죄 많은 삶을 살았기에 미련은 없다. 나는 나의 사형 집행인이다. 마음을 먹고 의자를 밀기는 아무래도 쉽지 않을 듯하다. 오히려 나도 모르는 사이에 미끄러지는 게 낫다. 조금씩 앞 쪽으로 움직여 본다. 의자가 불균형해지고 쏟아질 때까지. 7초면 된다. 턱뼈 끝의 밧줄이 차갑게 느껴진다. 가시가 잔뜩 돋은 장미 줄기를 목에 두른 느낌이다. 가슬가슬해서 간지럽고 따가워 미칠 지경이다. 거실에 홀로 놓인 아가베를 본다. 아가베 화분이 물받이 끝에 걸쳐 불안정하다. 커튼은 더러워서 먼지가 쌓여있고 TV 전원이 제대로 꺼지지 않아 화면에 '셋톱박스 전원을 찾을 수 없습니다.'가 떠다닌다. 수많은 생각이 마지막이라는 빌어먹을 의미부여가 머릿속을 헤집는다. 순간, 스탠드 업 코미디 하나가 떠오른다. 검은 옷을 입은 백발의 노인이 마이크를 잡는다. 어깨는 말려 곧 무너질 듯 하고, 과장되고 거친 톤으로 이야기한다.

"이 세상 어딘가에는 누군가가 자살하려고 준비를 할 겁니다. 누군가가 차고(garage) 중앙으로 의자를 끌고 가는 겁니다. 딱 중심에 맞추려고요. 이왕 하는 김에 제대로 해야 하니까요. 또 누군가는 옷장에서 총을 꺼내겠지요. 그냥 목이나 매달면 되겠다 싶어요. 괜찮군요. 밧줄을 어떡하죠? 항상 하나씩이 걸리죠. 차고에 밧줄이 있잖아요? 그 밧줄이 얼마나 더러운데요. 그게 내 목에 걸릴 텐데? 마침 마트에서 밧줄 세일 중이던데. 자살하는데 이렇게까지 많은 돈을 쓸 일인가요? 생각해보니 신용카드로 밧줄을 사면 돈을 지불할 필요가 없겠군요. 목을 매달면 밧줄 값은 마트가 부담하겠네요."

지금 꼴이 코미디와 다르지 않다. 삶의 미련이 남아 죽기 직전까지 신경 쓰는 모습이 우스꽝스럽다. 충동적으로 발을 굴러 의자를 빌친다. 줄이 팽팽해지고 목을 감싼다. 숨을 쉴 수 없다. 밧줄이 효과적으로 경동맥을 차단한다. 본능적으로 몸이 움직인다. 남은 숨이 별로 없다. 손가락을 목과 밧줄 사이에 밀어 넣으려고 한다. 순간 엄청난 후회가 밀려온다. 아니, 난 아직 죽어서는 안 된다. 세상에는 죽어야할 사람이 많다. 이대로 죽기에는 세상이 아름답지 않다. 귀 너머로 심장 소리가 들린다. 몸은 격렬한 진동을 이어나간다. 몸을 잠재우려 해도 소용없다. 몸은 이제 통제 범위를 넘어섰다. 심장

소리는 점점 빠르고 커진다. 두렵다. 목이 조인다. 몸은 본능적인 발버둥을 친다. 혀가 빠지는 걸 느낀다. 목이 저리다. 모든 생각이 말단을 통해 빠져나간다. 눈을 크게 뜨고 있지만 시야가 점점 좁아진다. 마치 카메라 조리개가 닫히듯 사위가 어두워진다. 포근하고 평온할 줄 알았는데, 아니다. 죽음은 그 자체로 잔인하고 파괴적이다. 이미 늦었다. 분명 눈을 크게 뜨고 있는데 보이지 않는다. 분명 바라보고 있는데 아무 것도 보이지 않는다. 내가 살아온 모든 순간들이 빠른 속도로 지나간다. 주마등이 스친다는 게 무슨 의미인지 깨닫는다. 아주 세부적인 내용까지 모든 순간을 기억한다. 어떤 옷을 입었는지, 어떤 냄새를 맡았는지까지. 어쩌면 주마등은 죽음을 피하기 위한 방법을 찾아서 모든 기억을 훑는 게 아닐까. 뇌는 전례 없이 활성화되어 시간을 느리게 인식한다. 꿈에서 시간이 느리게 흐르는 것과 마찬가지이다. 어지럽다. 목 근육이 당겨서 그런지 어지럼증도 있다. 용수를 쓸걸 그랬다. 사형수에게 용수를 쓰이는 이유가 이것일까. 최초 발견자나 참관인의 시각적 충격을 줄이기 위함은 부수적이다. 용수는 사형수에게 주어지는 최후의 아량이다. 눈에 보이는 게 많으면 사물을 인식하고 심리적으로 고통 받는 시간이 길어진다. 밧줄에 매달린 동물과도 같은 내 모습을 상상한다. 조리개가 점점 닫혀 중앙의 빛만 남았다. 7초가 이토록 길었나.

다음 순간, 난 어둠 속에 있다. 아마 2~3분 정도 되는 뇌사까지 가는 과정의 잔류 전류이지 않을까. 얼마나 정신을 잃었는지 모르겠다. 아니, 정신을 잃었는지 조차 모르겠다. 그저 어둠 속에 암순응 하지 못한 채로 눈을 뜨고 있었는지도 모른다. 남은 시간도 확실하지 않다. 다만, 그리 많은 시간이 남지는 않았음에 확신한다. 숨이 막히지는 않는다. 이제 폐와 횡경막은 큰 의미가 없다. 말 그대로 의식만 남았다. 분명 눈을 크게 뜨고 혀를 내밀고 있을 텐데 들어오는 빛도, 나가는 빛도 없다. 아이즈 와이드 셧. 스탠리 큐브릭의 마지막 작품 제목을 비로소 깨닫는다. 큐브릭은 죽음의 순간 무엇을 보았을까. 나와 같은 어둠을 보았을까.

무한한 어둠 속 영화관 계단의 유도등처럼 의식만이 빛났다. 의식이라는 빛은 점차 옅어지고 주변을 덜 밝힌다. 의식이 사라진 그림자는 죽음이 서서히 메운다. 멀리서 노래 소리가 들린다. 음악은 묘하게 속도가 조금씩 느려졌다. 노래 소리가 울려서 잘 들리지 않는다. 만약 종전의 7초 동안의 고통과 후회가 없었더라면 내 죽음을 의식하지 못했다면 이 상황을 꿈으로 여겼을 수도 있겠다. 온전히 빛이 차단된 공간에서 가위에 눌리는 기분이다. 몸을 움직일 수 없고 그런 시도조차 하는 방법을 까먹었다. 혹은 물을 부유하는 느낌이다. 나는 지금 아파트 13층 집 거실에 목을 밧줄에 매단 채로 축 늘어져 죽어있다. 의자는 나뒹굴고 물받이 끝에 걸친 아가베가 있으며 셋톱박스 선원난 꺼신 채 텔레비전은 켜져 있다. 오디오에서는 왈츠가 흐르고 밧줄을 회전축으로 몸은 회전을 시작한다.

믿음은 뇌를 속인다. 인간은 자신이 믿는 대로 현상을 받아들이고 해석한다. 나는 그 무엇도 믿지 않는다. 사람, 신, 심지어 나조차도 말이다. 죽음을 경험한 사람들 중 빛이나 신을 마주했다는 사람도 있다. 믿음이 뇌를 속인 좋은 예시이다. 죽은 이후 천국을 가고 싶다는 욕망을 뇌가 투영한다. 우리의 뇌는 죽음을 받아들이지 못한다. 죽음은 뇌가 받아들이기에는 고차원의 개념이다. 죽음도 혼돈의 일부이다. 마치 3차원의 구가 2차원에 개입하면 원이 커졌다가 작아져 사라지는 것처럼 뇌는 인간이 받아들일 수 있는 질서의 형태로 죽음을 이해한다. 다시 말하면 모두는 죽는 순간 자신이 바라는 천국을 마주한다. 다차원의 죽음이라는 개념을 3차원의 천국이라는 개념으로 투영해 받아들인다. 지옥에 가고 싶은 사람은 살아있는 동안 지옥을 자주 떠올린다. 그에게는 지옥이 곧 천국이다. 나의 천국은 무(無)이다. 아무것도 없는 곳. 죽고 나면 끝이기를 바랐다. 윤회는 싫었고 신도 만나고 싶지 않다. 뇌는 믿어온 사후세계를 보여준다. 이곳이 나의 천국이다. 뇌의 잔류 전류가 만들어낸 천국. 쇼스타코비치의 노트가 형체를 잃는다. 울림은 느껴지지만 인식할 수 있는 정도이다. 피로감이 몰려든다. 졸음이 서서히 생각들을 앗아갔다. 남은 시간이 많이 없다. 인생은 부조리하다. 시지프스 형벌처럼 고통의 반복이며 번뇌의 연속이다. 눈꺼풀이 없음에도 눈꺼풀이 무거워진다. 나쁘지 않은 인생이었다. 후회는 없다. 아래로 점점 가라앉는다. 포근한 침대로 빨려 들어간다. 침대는 무한히 내려가고 내 의식도 떨어진다. 의미 없는 단어들이 머릿속을 떠다닌다. 꿈을 꾸는 느낌이다. 화려한 무늬가 움직이다가 한 순간 없어지기를 반복한다. 형이상적인 영상들이 반복해서 생겨났다가 정신을 차리면 사라진다. 가라앉는 속도는 균일하고 느리다. 밑바닥에 무언가가 있다. 바닥의 물체는 크기가 점점 커진다. 물체는 다름 아닌 아이다. 몸이 가라앉는 곳은 심연이구나. 결국 마지막에 보게 되는 건 극복하지 못한 심연 속의 아이다. 아이는 전과 마찬가지로 얼굴을 바닥에 파묻고 울고 있다. 한껏 숙인 상체는 들썩였고 내 몸은 점점 아이와 가까워진다. 피로가 점점 드리운다. 시간이 얼마 남지 않았다. 심연은 축축하고 불쾌하다. 아이는 여전히 고개를 처박고 흐느낀다. 뭐가 그렇게 서러울까. 오른손을 뻗는다. 아이의 몸을 잡고 등을 젖힌다. 얼굴이 없는 아이는 울고 있지 않다. 아이는 심연에 난 구멍으로 새어 들어오는 빛을 살핀다. 호기심과 흥분으로 들떠 있다.

그리고 나는 깨달았다.

작가의 말

그림 검사를 받은 적이 있습니다. 집, 나무, 사람을 그리는 단순한 검사였습니다. 대단하지 않은 그림들이 무엇을 보여줄 수 있을지 당장 의심이 앞섰습니다. 하지만 그림들에는 무의식 속 상처와 고통, 울부짖음이 담겨 있었습니다. 결과 분석을 들을 때, 발가벗겨진 기분이었습니다. 내면 속 초라한 스스로를 발견했고, 허망함과 슬픔, 부끄러움을 느꼈습니다. 그때 마주한 심연에는 한 어린 아이가 울고 있었고 아이는 고개를 들어 제 눈을 바라보았습니다. 그제서야 니체의 말을 이해했습니다.

"괴물과 싸우는 자는 스스로가 괴물이 되지 않도록 주의해야 한다. 당신이 심연을 들여다볼 때, 심연도 당신을 들여다본다."

심연에는 극복하지 못한 당신의 어린 시절이 있습니다. 잊은 줄만 알았던, 사라진 줄 알았던 트라우마와 공포, 슬픔과 수치가 잠들어 있습니다. 심연을 마주한다는 것은, 과거의 고통과 트라우마를 깨워 자기 혐오와 자기 방어를 반복하는 소모적인 전투와 같습니다. 그러나 이 과정은 한 단계 성장을 위해 반드시 필요합니다. 스스로를 난도질해 밑바닥을 경험하고 단단하게 기반을 다져야하죠. 그 작업을 하다보면 문득, 내면의 아이가 울고 있지 않음을 깨닫는 순간이 찾아옵니다. 그제서야 비로소 자신과 자신의 삶을 사랑할 수 있습니다.
<살해되려는 욕구>는 군 시절 겪은 실존주의적 고민과 심연, 스트레스, 우울이 담긴 책입니다. 과거의 '나'가 지금의 '나'를

만들었음을 깨닫고 나서야 비로소 제 진짜 모습을 마주할 수 있었습니다. 그런 당연한 진리를 깨닫는 순간이 점점 많아집니다.

이 책을 쓰는데 도움을 준 부모님과 유선하, 김채은에게 감사의 인사를 바칩니다.

2023년 12월

박준하 씀